D0363217

Bonaparte en Égypte

suivi de

Napoléon en Égypte

Nous remercions M. Hervé Bainville, qui nous a permis de rééditer cet ouvrage de son grand-père, M. Yves Thoraval, de la Bibliothèque nationale de France, grâce auquel nous avons pu retrouver le poème de Barthélemy et Méry.

Jacques Bainville
de l'Académie française

Bonaparte
en Égypte

suivi de

Napoléon en Égypte

Poème de
Barthélemy et Méry

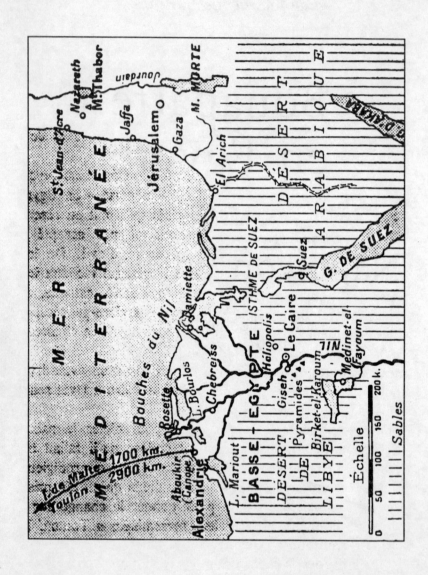

Chapitre I

Rêve d'Orient

Lorsque Bonaparte revint à Paris en décembre 1797, après vingt et un mois d'absence, bien habile qui eût deviné ce que pensait le conquérant de l'Italie et quels desseins il nourrissait. Au fait le savait-il lui-même ?

Le général Bonaparte est une énigme. A Paris, reçu solennellement par le Directoire, il est conduit à l'« autel de la patrie » par Talleyrand qui ne dit plus que des messes laïques. Il écoute sérieusement l'*Hymne à la liberté* chanté par les élèves du conservatoire. Puis, aux félicitations des Directeurs, le proconsul d'Italie répond par des phrases brèves et vagues, des maximes générales où chacun peut comprendre ce qui lui plaît. Il est, au choix, le héros d'Arcole et le pacificateur de Campo-Formio. Il est celui qui arrête la guerre ou qui la continue pour donner à jamais à la République les frontières que « la nature a elle-même posées » comme il est celui qui continue la Révolution ou qui en fixe le terme.

Ses attitudes, ses costumes entretiennent cette équivoque. La Cour de Cassation donne une audience en

7

son honneur. Il s'y rend accompagné d'un seul aide de camp, tous deux en civil. Il est élu membre de l'Institut, section de mathématiques, il ne manque pas une séance. Il recherche, il fréquente, il séduit les savants, les gens de lettres, les « idéologues » et l'uniforme académique est celui qu'il revêt de préférence pour les cérémonies officielles. Guerrier, diplomate, savant, législateur, il est tout cela à la fois comme il était, en Italie, à sa cour de Mombello. C'est à la gloire des armes qu'il semble le moins tenir. Les honneurs militaires ne lui viennent-ils pas comme par surcroît ? Le département de la Seine débaptise la rue Chantereine où il habite avec Joséphine pour l'appeler rue de la Victoire. Le vainqueur de l'Autriche, de ses armées et de ses maréchaux met une sorte d'élégance à laisser dire par les autres qu'il est un grand capitaine.

C'est moins affectation et même peut-être est-ce moins calcul que sentiment de sa supériorité. Avec les « avocats du Directoire », il n'est ni rampant ni arrogant. Il leur voue un dédain tranquille et secret. Il évite de se faire des affaires avec eux. Il ne recherche la faveur d'aucun d'eux.

Hoche, qui vient de mourir, intriguait avec Barras. Joubert est l'homme de Sieyès. Pichegru, Moreau peut-être ont des attaches avec les royalistes comme Augereau avec les Jacobins. Bonaparte est seul. Il est lui-même. Il est au-dessus des partis, dans la Révolution et hors de la Révolution, sans rancunes ni amour. C'est sa position naturelle. On peut dire qu'il l'a eue depuis qu'il a mis pour la première fois le pied en France et qu'il est entré à l'école de Brienne. C'est une position d'indifférence, une position insulaire, une position très forte et qui n'appartient qu'à lui, celle d'un arbitre et déjà presque d'un souverain. Le 21 janvier 1798, on célèbre, comme tous les ans, l'anniversaire de la mort de Louis XVI. Bonaparte, « l'homme de la République », attirerait l'attention s'il s'abstenait d'assister à cette cérémonie révolutionnaire. Il refuse d'y aller comme général et s'y rend avec ses collègues de l'Institut. Ce n'est pas qu'il cherche à ménager les royalistes, mais il n'aime pas, il n'approuve pas le régicide. « Cette politique de célébrer la mort d'un homme ne pourrait jamais être, disait-il, l'acte d'un gouvernement mais seulement celui d'une faction. » C'est un souvenir qui divise les Français quand ils auraient tant besoin d'être unis. Enfin, ce n'est pas national. Déjà il songe à réconcilier, à « fondre » l'ancienne France et la nouvelle, ce qui sera l'esprit de son Consulat.

Mais si des tentations lui viennent d'être le maître à Paris comme il l'était à Milan, de « protéger » la République française comme il était protecteur des Républiques transpadane et cispadane, ce sont des idées qu'il écarte. Il est l'homme qui s'instruit toujours et dont le coup d'œil est sûr. L'impression qu'il avait déjà en Italie sur l'état moral et politique de la France, tout ce qu'il observe le confirme. « Il n'y avait pas assez de maux présents pour justifier, aux yeux de la multitude, une action dont l'objet aurait été de s'emparer violemment de l'autorité », dit Marmont qui ajoute : « S'il avait tenté un coup de force, les neuf dixièmes des citoyens se seraient retirés de lui. » Pour être syndic des mécontents, il faut qu'il y ait assez de mécontentement. Il faut aussi, pour réussir, avoir trouvé le point de rencontre et de conciliation des idées et des intérêts. Bref il ne faut pas se tromper d'heure et il faut frapper juste.

9

Au commencement de l'année 1798, le Directoire, malgré Fructidor, était encore assez modéré et n'alarmait pas sérieusement. Il semblait que la détente thermidorienne continuât.

Il eût donc été inévitable qu'un coup de force fût dans le sens de la réaction et s'appuyât sur les éléments de droite, ce que Bonaparte ne voulait à aucun prix. Et les éléments de droite c'était la « faction des anciennes limites » tandis que les Français en étaient pour le plus grand nombre à la joie des frontières naturelles qu'ils croyaient acquises, résolus à briser la puissance hostile qui s'obstinait, la dernière, à ne pas les reconnaître. Cobourg est battu. L'opinion publique demande qu'on renverse Pitt, la perfide Albion, et non le Directoire.

D'ailleurs Bonaparte sait depuis longtemps que le gouvernement se méfie de lui et le surveille, que, dans l'armée, il a des jaloux. Il sait aussi que, s'il est populaire, la popularité est femme.

« Une renommée en remplace une autre ; on ne m'aura pas vu trois fois au spectacle que l'on ne me regardera plus. » On croirait qu'il a lu les lettres où Mallet du Pan, l'informateur des princes, écrit à ce moment-là : « Ce scaramouche à tête sulfureuse n'a eu qu'un succès de curiosité. C'est un homme fini. » Selon Sandoz, ministre de Prusse, les Parisiens commençaient à murmurer : « Que fait-il ici ? Pourquoi n'a-t-il pas encore débarqué en Angleterre ? » Bonaparte disait lui-même : « Si je reste longtemps sans rien faire, je suis perdu. » Il craignait d'être oublié comme au temps, qui n'était pas lointain, où, d'Avignon à Nice, il menait des convois. Il regrettait l'Italie. Il avait besoin de faire quelque chose et quelque chose d'aussi grand.

10

Cependant les Directeurs n'aimaient pas à le sentir près d'eux. Il craignait que sa renommée ne fût en baisse. Ils estimaient, quant à eux, qu'elle était excessive et « inopportune ». Le moyen d'éloigner Bonaparte de Paris, c'était de lui donner un emploi assez élevé pour qu'il n'eût pas à se plaindre d'un déni de justice et pour qu'il ne prît pas l'air d'une victime aux yeux du public. Ses victoires parlaient pour lui. Le gouvernement lui confia le commandement de « l'armée d'Angleterre ».

En finir avec les Anglais par l'invasion de leur île, ce n'était pas une idée nouvelle. La Révolution y avait pensé bien avant le camp de Boulogne. Hoche avait été chargé d'une descente en Irlande au moment où Bonaparte était envoyé en Italie. Hoche avait perdu un an à organiser cette expédition chimérique. Bonaparte, en trois semaines, après une inspection des côtes de la Manche et sur le rapport de Desaix envoyé en Bretagne, se rend compte de l'inanité de ce vaste projet au succès duquel manque la première condition, une flotte capable de se mesurer avec la flotte anglaise, à moins de « surprendre le passage », ce qui sera l'idée de Boulogne. Ses conclusions sont négatives. Il abandonne le plan et, avec lui, le titre assez ridicule de commandant en chef de l'armée d'Angleterre.

C'est le moment d'exécuter l'idée qui l'occupe depuis longtemps, qui a déjà failli lui faire accepter du service chez les Turcs, qu'il n'a cessé d'étudier depuis son retour d'Italie.

La séduction de l'Orient remonte pour lui à ses premières lectures. C'est là que son imagination le porte. Junot racontait à sa femme : « Lorsque nous étions à Paris, malheureux, sans emploi, eh ! bien, alors le premier Consul me parlait de l'Orient, de l'Égypte, du mont

11

Liban, des Druzes. » Il se mêle de la littérature, de la féerie, Antoine et Cléopâtre, les *Mille et une nuits* revues par Voltaire et Zadig, des souvenirs de l'abbé Raynal et de l'*Histoire philosophique des Indes* à une idée qui n'est pas neuve non plus, qui a déjà eu des partisans avant la Révolution pendant les guerres franco-anglaises, celle d'atteindre les « tyrans des mers » par le chemin de l'Asie.

Napoléon, devenu le maître absolu, n'a rien entrepris de plus aventureux ni de plus extravagant, pas même la campagne de Russie, que cette expédition d'Égypte approuvée par la République. Elles étaient dans l'esprit de la Révolution, ces brillantes chimères pour lesquelles ne comptent ni les difficultés ni la distance. Projets gigantesques, vues sur Constantinople, échanges, remaniements, « recès », Bonaparte a tout trouvé dans l'héritage du Directoire, comme le Directoire tenait déjà tout, par le Comité de Salut public, du premier Pyrrhus, le girondin Brissot qui, la tête pleine de brochures, rêvait une immense refonte de l'Europe et du monde. Les illusions qui avaient lancé la Révolution dans la guerre servaient maintenant à poursuivre une paix insaisissable. Albert Sorel montre très bien que l'expédition d'Égypte apparut à des hommes qui se croyaient raisonnables comme le moyen d'arriver à la pacification générale par le démembrement de l'Empire ottoman. D'ailleurs un seul détail dira où l'on en était. L'expédition d'Égypte fut financée par le Trésor, trente millions « que Brune venait d'enlever à l'aristocratie bernoise », et ce brigandage, destiné à « nourrir la guerre », était accompli au nom de la République et de la liberté.

Lorsque l'expédition eut mal tourné, Bonaparte ne fut pas fâché de laisser croire qu'il avait été « déporté » en

Égypte avec ses soldats, et ce fut un des griefs qu'il mit en réserve contre le Directoire. Il n'avait pourtant pas accepté ce commandement comme on subit un ordre d'exil. De leur côté les Directeurs ont prétendu que le général factieux leur avait arraché l'autorisation de partir. La vérité est que, s'il y eut de part et d'autre des calculs et des arrière-pensées, on fut d'accord pour croire au succès et pour courir la chance de mettre l'Angleterre à genoux.

Que cette chance était faible ! Peut-être n'y en avait-il pas une sur cent pour que le corps expéditionnaire arrivât seulement au but.

Ce n'était pas la Manche, comme pour dicter la paix à Londres, mais la Méditerranée tout entière qu'il fallait traverser par surprise. Cela se fit par un hasard prodigieux, presque inconcevable. Quelques précautions qu'on eût prises pour cacher les préparatifs et pour donner le change sur la destination des troupes qui étaient rassemblées à Toulon, les Anglais furent avertis qu'une expédition allait partir. Nelson accourut avec ses meilleurs vaisseaux. Bonaparte, à bord de *L'Orient*, pesant avec l'amiral Brueys les risques d'une rencontre, n'estimait pas que la flotte encombrée de convois, que les unités de combat elles-mêmes, surchargées d'hommes et de matériel, fussent en état de vaincre. Il n'y avait qu'à aller de l'avant en se fiant à la fortune.

On avait mis à la voile le 19 mai 1798. Au passage, l'île de Malte fut prise comme les instructions le recommandaient. On s'emparait d'un des points stratégiques les plus importants de la Méditerranée et l'on faisait en même temps œuvre révolutionnaire en délivrant l'île de l'Ordre fameux. Si les chevaliers étaient restés derrière leurs murailles, le siège aurait pu s'éterniser. Leur imprudence abrégea tout. Quelques jours suffirent à Bonaparte pour organiser la nouvelle conquête de la République. Le 19 juin, la flotte cinglait vers Alexandrie.

Nelson, qui la cherche fébrilement, la manque partout. Il est arrivé trop tard à Malte, elle lui échappe par hasard à Candie. Il fait force de voiles vers Alexandrie et cette hâte lui est encore funeste. Il a devancé l'escadre française, ne la trouve pas, croit qu'elle se dirige vers la Syrie, quitte le port pour la poursuivre et la croise de nuit à cinq lieues de distance. Qu'il fît jour ou que Nelson eût pris sa route un peu plus à gauche, et le désastre d'Aboukir avait lieu avant que l'armée de Bonaparte eût débarqué.

Cette fortune, qui ne devait pas être la dernière, a fait croire à l'étoile de Bonaparte. Il s'est servi de cette croyance. Il ne l'a que faiblement partagée. Quand Letizia, bonne mère, disait à l'empereur : « Tu travailles trop ! », il répondait : « Est-ce que je suis un fils de la poule blanche ? », expression corse qui équivaut à « être né coiffé ».

Nous sommes trop portés à croire, nous qui connaissons la suite, que Bonaparte lisait dans l'avenir à livre ouvert. Il n'avait pas plus de certitudes que les autres hommes. Et la prodigieuse aventure d'Égypte n'était pas propre à convaincre un esprit comme le sien que, quoiqu'il fît, le succès lui fût assuré. Le désastre naval d'Aboukir, l'échec devant Saint-Jean-d'Acre, comme les mauvaises heures qu'il avait passées en Italie avant Castiglione, l'eussent averti, à défaut de l'instinct, que son astre n'était pas infaillible. Cette expédition fantastique dont il se tira à son avantage et contre toute raison fit grandir chez les

14

Français cette impression, née des événements extraordinaires que l'on avait déjà vus, que « tout était possible », impression plus forte encore lorsqu'on aura mesuré l'ascension prodigieuse du général et de ceux qui, à sa suite, seront devenus princes et rois, quand rien ne semblera plus invraisemblable puisque tout aura été vrai.

Parmi ces possibilités indéfinies dont la perspective dérange l'ordre ordinaire des choses, s'il y a même celle du pouvoir suprême, nous voyons, à chaque pas qui le rapproche de la couronne, pourquoi, si elle devait aller à quelqu'un c'était à Napoléon. Il est toujours celui qui voit grand, celui qui a l'horizon le plus large. Il part pour l'Égypte comme il était parti pour l'Italie avec des soldats et la tête pleine d'idées.

Chapitre II

Une nouvelle croisade

Cinq siècles et demi s'étaient écoulés depuis que saint Louis avait paru devant Damiette, lorsque l'armée de Bonaparte débarqua sur la plage du Marabout. Les populations égyptiennes ne doutèrent pas que les Français ne vinssent, cette fois encore, en ennemis de la religion musulmane et de leurs libertés. C'était bien, en effet, une autre sorte de croisade que la France entreprenait. Mais le vrai sens ne devait s'en révéler à l'Égypte que beaucoup plus tard.

Le jeune général jouait gros jeu. L'Orient seul, où l'on peut, disait-il, « faire du grand », lui paraissait un théâtre digne de lui. Ce pouvait aussi être un tombeau. Mais les goûts et les intérêts de Bonaparte se rencontraient avec les intentions du gouvernement de la République. Nous avons déjà vu que ce n'était pas à la légère ni pour obéir à des mobiles étrangers à l'entreprise elle-même que la Révolution avait engagé en Égypte une partie de ses forces, soldats et chef d'élite qui venaient pour une part de l'armée d'Italie, pour une autre de l'armée du Rhin.

Parmi les raisons qui déterminèrent le Directoire, on ne doit pas négliger celle qui, du point de vue diplomatique, justifiait l'intervention, ou du moins lui servait de prétexte.

Les négociants français établis à Alexandrie, à Rosette et au Caire se plaignaient des confiscations et des avanies qu'ils subissaient depuis que les beys Ibrahim et Mourad exerçaient en Égypte l'autorité soustraite à la Porte. Depuis 1795, les réclamations, les demandes de protection et d'assistance ne cessaient d'arriver à Paris. Les protestations du gouvernement de la République étaient restées sans effet. Lorsqu'Ibrahim et Mourad apprirent le débarquement de l'armée française, ils venaient de prendre de nouvelles mesures qui eussent ruiné les maisons de commerce des « Francs ». Bonaparte, dès qu'il eut débarqué sur le sol égyptien, ne manqua pas de rappeler ces griefs et les torts qu'il y avait à réparer.

Cependant l'idée qui avait présidé à l'envoi d'une force armée en Égypte allait plus loin et visait plus haut. Elle se reliait essentiellement à la guerre que la République soutenait contre les Anglais. Dès 1796, le ministre des relations extérieures Delacroix avait étudié cette opération. On venait encore de reconnaître l'impossibilité d'envahir l'Angleterre. Il s'agissait de l'atteindre à un point vulnérable, à la jonction de l'Afrique et de l'Asie, afin de menacer l'Inde à revers. Tout au moins, pour se munir de gages en vue de la paix, occuperait-on de fortes positions dans la Méditerranée, dessein prouvé par les instructions qui enjoignaient à Bonaparte de s'emparer de Malte avant de cingler sur Alexandrie.

Cette conception n'était pas improvisée. Elle n'était pas non plus nouvelle. Lorsque Bonaparte avait parlé d'attaquer l'Angleterre et son commerce des Indes par l'Égypte et la Perse, les Directeurs n'avaient pas été surpris. L'idée était dans l'air. Il n'est même pas positivement sûr que le général en ait parlé le premier.

Il suffisait d'ouvrir les dossiers du ministère des Affaires étrangères pour y trouver le plan de l'expédition. Il y avait, dans les cartons, les rapports de Magallon, consul en Égypte pendant plus de vingt ans, qui pressait Delacroix, le ministre des Affaires étrangères, de s'emparer du pays. Talleyrand trouva ces mémoires et même bien d'autres qui prouvaient que les Français avaient pensé depuis longtemps à l'occupation de cette terre prestigieuse. En 1797, dans une lecture à l'Institut, il invoquait Choiseul comme le précurseur qui avait pensé, dans une lutte contre les Anglais, à une diversion du côté de l'isthme de Suez.

Talleyrand aurait pu remonter plus haut que le règne de Louis XV. Déjà Leibnitz, ce grand esprit en qui revivait le sens européen, avait indiqué à Louis XIV la vallée du Nil comme le lieu où la France avait une œuvre féconde à accomplir. Le XVIIIᵉ siècle, qui remua à la fois toutes les idées, ne manqua pas de s'intéresser à « cette terre antique où la plupart des nations ont puisé leurs connaissances et leurs lois », comme disait avec enthousiasme un des jeunes savants qui accompagnaient le général Bonaparte. Lui-même avait lu le *Voyage en Égypte et en Syrie* de Volney, et bien d'autres livres. En 1792, ayant rencontré Volney en Corse, il l'avait interrogé avidement sur l'Orient qui le séduisait et dont il rêvait, comme bien d'autres jeunes hommes de sa génération.

La Révolution fit plus. Elle se nourrissait des souvenirs de l'antiquité. Elle marchait sur les traces de la République romaine. L'Angleterre, cette nouvelle Carthage, prétendait à la domination des mers et s'emparait des colonies loin-taines. Est-ce que le centre du monde ne restait pas la Méditerranée ? Est-ce que la plus belle des colonies ne serait pas le pays où étaient déjà venus Antoine et Pompée ?

Ces réminiscences ne furent pas tout à fait étrangères à l'expédition d'Égypte, à l'enthousiasme avec lequel tant d'hommes de valeur demandèrent à en être. Quand Bonaparte voulait obtenir un effort de ses soldats eux-mêmes et leur faire oublier qu'ils étaient loin de la France, il évoquait le souvenir de Rome. A Toulon, avant le départ, il leur avait déjà parlé de ces « légions romaines, que vous avez quelquefois imitées, mais pas encore égalées ». La proclamation qu'il fit lire aux troupes, en mer, trois jours avant le débarquement, se terminait par ces mots : « La première ville que nous allons ren-contrer a été bâtie par Alexandre. Nous trouverons à chaque pas des souvenirs dignes d'exciter l'émulation des Français. » C'est de la colonne de Pompée qu'il assista à la prise d'Alexandrie ; c'est au pied de cette colonne qu'il fit enterrer les soldats tombés à l'assaut. Et l'un de ses officiers, soldat de fortune, écrivait fièrement, après l'entrée au Caire : « Voilà encore une des plus grandes provinces romaines conquise en quinze jours. »

Mais cette contrée chargée d'histoire, mère des civi-lisations, on ne voulait pas la coloniser comme une Amérique. On voulait la régénérer. On l'abordait avec curiosité, avec une sorte d'enthousiasme et de respect. Michelet, si hostile à Bonaparte, si dénigrant pour lui, ne peut s'empêcher de le reconnaître : « Ce n'était pas, dit-il, une conquête ordinaire, ouverte à la cupidité, mais l'espoir fantastique, sublime, d'une résurrection.» On venait pour

rendre à cette « terre antique » la semence qui avait levé
en Occident. On lui apportait les idées modernes et le
progrès.

Pour Bonaparte, militaire, intellectuel et législateur,
c'était la grande chose à faire en Égypte. Près de lui, le
général Caffarelli-Dufalga, « l'héroïque jambe de bois »,
représentait l'élite de cette armée. C'était une sorte de
Vauban, toujours occupé de réformes, du bien à accomplir. Mortellement blessé à Saint-Jean-d'Acre, Caffarelli
se faisait lire, quelques heures avant de succomber, le
Commentaire sur l'Esprit des lois, réfutation de Montesquieu
où Voltaire proteste contre la théorie qui veut que les idées,
les mœurs et les civilisations dépendent des climats.

L'excitation du départ avait gagné les soldats aussi
bien que les officiers. « On avait choisi l'élite de nos
troupes, raconte Miot dans ses *Mémoires,* et la plupart
des corps portaient ces numéros que Bonaparte a rendus
célèbres en les consignant à la postérité. L'armée ignorait
encore le lieu où elle devait porter ses armes, c'est-à-dire
qu'elle n'en était point instruite officiellement, mais tout
lui faisait croire qu'elle allait en Égypte.

« Comme les esprits étaient agités ! Que de projets !
Des spéculateurs dévoraient l'avenir pour grossir leur
fortune. Quelques-uns d'entre eux sont morts de douleur
et de chagrin ; d'autres, dont le moral a résisté aux
dégoûts, aux privations, se sont estimés heureux de
revenir sains et saufs. Chacun concevait les plus beaux
projets sur cette expédition fameuse ; c'était de la gloire
à acquérir pour les uns, pour les autres de la richesse, et
le général en chef laissait échapper souvent des paroles
qui flattaient l'ambition et l'espérance ; rien alors n'ef-
frayait : enthousiasmés, étourdis par le tumulte qui accom-

pagne ordinairement le départ d'une armée, à table, en riant, nous parlions des dangers, des privations qui nous attendaient. Les dangers présentaient un moyen d'acquérir de la gloire et de l'avancement. Les privations ! Nous n'aurions point de vin, mais nous en buvions alors ; peut-être n'aurions-nous point de femmes, mais nous n'en manquions pas encore ; tout le monde ne reverrait pas son pays, mais chacun espérait qu'il serait assez heureux pour embrasser sa famille. Nous étions entraînés, séduits par le besoin de la gloire ou du changement, qui fait toujours chercher le mieux pour attraper quelquefois le pire. »

Surtout, le général en chef s'était entouré d'une équipe ardente de savants, presque tous jeunes, qu'il réunira dans l'Institut du Caire, une de ses grandes pensées. Rien n'exprime mieux le caractère original de l'expédition que le personnel scientifique dont elle était accompagnée.

Il y avait là des hommes célèbres, Monge, le chimiste Berthollet, le naturaliste Geoffroy Saint-Hilaire, le médecin Desgenettes, qui s'inocula lui-même le virus de la peste, et Larrey, et Fourier, le futur auteur de la *Théorie analytique de la chaleur*, élève favori du mathématicien Lagrange, l'orientaliste Jaubert, Vivant-Denon, aussi bon artiste avec sa plume qu'avec son crayon, et Jomard, le géographe, celui qui « épousa l'Égypte » et travailla dix-huit ans à la grande *Description*, les géologues Dolomieu, Cordier, les ingénieurs Girard, Lepère qui s'employèrent à régulariser le cours du Nil, etc. Ici encore on ne peut mieux dire que Michelet : « Bref le XVIIIᵉ siècle au complet de l'Europe elle-même merveilleusement représentée. » L'académicien Arnault, dans ses *Souvenirs d'un sexagénaire*, raconte que le désir de partir pour l'Égypte avait

22

été à Paris une fureur générale. « C'était une folie épidémique semblable à celle qui s'était saisie de nos aïeux à l'époque des Croisades. Quantité de personnes s'adressèrent à moi pour obtenir la faveur de s'expatrier. »

Bonaparte avait même emmené un poète pour chanter ses exploits. Ce n'était pas sa faute, c'était celle du siècle, si cet Homère s'appelait Parseval-Grandmaison.

Peut-être étaient-ce des esprits un peu trop formés par le siècle de l'Encyclopédie. Le jeune général en chef de vingt-huit ans corrigeait leurs vues théoriques par sa précoce expérience des hommes et par sa connaissance de l'histoire. Il venait de gouverner l'Italie et, dans ce proconsulat, il avait appris beaucoup de choses. Il y avait réussi parce qu'il avait traité les populations comme elles devaient l'être, tenant compte de leurs mœurs, de leurs traditions et même de leurs préjugés. Ce n'est pas dans un autre esprit qu'il abordait l'Égypte.

Et puis les vastes lectures de sa première jeunesse n'avaient pas été perdues. On possède les notes qu'il avait prises, étant petit officier, dans ses studieuses années de garnison. La plume à la main, il avait dépouillé, par exemple, les *Mémoires sur les Turcs* du baron de Tott, plus longuement les quatre tomes de l'*Histoire des Arabes* de l'abbé de Marigny, prenant des notions de la religion musulmane, allant jusqu'à se faire un petit vocabulaire de langue arabe (noms des mois, etc.). Sur le navire-amiral *L'Orient*, pendant la traversée, méprisant les romans, « lectures de femmes de chambre », il étudiait encore et le Coran était toujours à portée de sa main.

Arnault a laissé apercevoir dans ses pittoresques mémoires l'atmosphère des conversations qui réunissaient les savants et Bonaparte :

23

« Tout à la société pour la soirée, sa promenade faite sur le pont, Bonaparte rassemblait autour de la table du conseil ce qu'il appelait son *Institut*. Alors commençaient, sous sa présidence, des discussions en règle dans lesquelles il n'intervenait guère que pour les ranimer quand elles tendaient à s'éteindre, prenant plus de plaisir alors au rôle de juge du camp qu'à celui de champion. Formée des chefs de toutes les armes et de ceux de tous les services, et formée conséquemment de savants, cette réunion avait d'autant plus d'analogie avec celle dont elle empruntait le nom que toutes les sciences humaines y avaient des représentants. Rejeton de l'Institut de France, elle fut la souche de l'Institut d'Égypte.

« ... Les académiciens ayant pris place sur des chaises au tapis vert, et les auditeurs sur le divan qui régnait autour de la salle :

– Que lisons-nous ce soir ? me disait le général, adressant cette question au bibliothécaire, s'entend.

« ... Quelques incidents bouffons avaient tempéré parfois le sérieux de ces séances, qui n'étaient pas du goût de tout le monde, et auxquelles le général en chef avait presque exigé que tout le monde assistât. Ils provenaient presque tous de Junot, à qui le général passait beaucoup de choses et qui s'en permettait beaucoup.

– Général, dit-il au président le jour de l'ouverture, pourquoi Lannes (et dans ce nom il ne faisait pas de la première syllabe une brève), pourquoi Lannes n'est-il pas de l'Institut ? N'y devrait-il pas être admis sur son nom ?

« Dans la même séance, il feint de s'endormir ou s'endort peut-être. Ses ronflements couvraient presque la voix de l'orateur.

24

– Qu'est-ce qui ronfle ici ? dit le général.

– C'est Junot, répondit Lannes, qui ne ronflait pas, et qui, tout en prenant sa revanche, partageait assez l'opinion que son camarade émettait d'une manière si bruyante sur les savants.

– Réveillez-le.

« On réveille Junot, qui, le moment après, ronfle de plus fort.

– Réveillez-le donc, vous dis-je.

« Puis, avec quelque impatience :

– Qu'as-tu donc à ronfler ainsi ?

– Général, c'est votre *sacré fichu Institut* qui endort tout le monde, excepté vous.

– Va dormir dans ton lit.

– C'est tout ce que je demande, dit en se levant l'aide de camp, qui, prenant cela pour un congé définitif, se crut dès lors autorisé à ne plus assister à nos séances.

« Ces faits sont de la plus grande vérité. J'ai cru devoir les raconter, tout minutieux qu'ils soient, parce qu'ils peignent l'esprit et le caractère d'un homme qui n'a rien dit ni rien fait que de significatif, et qu'ils montrent tel qu'il était dans la vie intérieure, c'est-à-dire aussi bon qu'un lion peut être. »

Mais les préférences de Bonaparte allaient aux conversations plus sérieuses.

« Il se plaisait, raconte Bourrienne, à causer fréquemment avec Monge et Berthollet; ces entretiens roulaient le plus habituellement sur la chimie, sur les mathématiques et la religion. Le général Caffarelli, dont la conversation nourrie de faits était en même temps vive, spirituelle et gaie, était un de ceux avec lesquels il s'entretenait le plus volontiers. Quelque amitié qu'il témoignât à Berthollet, il était facile de voir qu'il préférait Monge, et cela parce que Monge, doué d'une imagination ardente, sans avoir précisément de principes religieux, avait une espèce de propension vers les idées religieuses qui s'harmonisait avec les idées de Bonaparte ; à ce sujet, Berthollet se moquait quelquefois de son inséparable Monge ; et d'ailleurs l'imagination froide de Berthollet, son esprit constamment tourné à l'analyse et aux abstractions, penchaient vers un matérialisme qui a toujours souverainement déplu au général.

« Quelquefois Bonaparte causait avec l'amiral Brueys ; c'était presque toujours pour s'instruire des différentes manœuvres et rien n'étonnait plus l'amiral que la sagacité de ses questions. Je me rappelle qu'un jour Bonaparte ayant demandé à Brueys de quelle manière se ferait le branle-bas en cas d'attaque, il déclara, après sa réponse que si cette circonstance arrivait, il donnerait des ordres pour que tout le monde jetât ses malles à la mer.

« ... Un des plus grands plaisirs de Bonaparte, pendant la traversée, c'était, après le dîner, de désigner trois ou quatre personnes pour soutenir une proposition, et autant pour la combattre. Ces discussions avaient un but : le général y trouvait à étudier l'esprit de ceux qu'il avait intérêt à bien connaître, afin de leur confier ensuite les fonctions auxquelles ils montraient le plus d'aptitude par la nature de leur esprit. Chose qui ne paraîtra pas singulière à ceux qui ont vécu avec Bonaparte dans son intimité, après ces luttes d'esprit, il donnait la préférence à ceux qui avaient défendu avec habileté une proposition absurde, sur ceux qui s'étaient faits les défenseurs de la raison ; et ce n'était pas seulement la supériorité d'esprit qui le déterminait dans son jugement, car il préférait réellement ceux qui avaient bien combattu en faveur de l'absurdité, à celui qui avait également bien discuté en faveur d'une proposition raisonnable. Il donnait toujours lui-même le texte de la discussion ; il le faisait rouler le plus souvent sur des questions de religion, sur les différentes espèces de gouvernements, sur la stratégie. Un jour il demandait si les planètes étaient habitées ; un autre jour quel était l'âge du monde ; puis il donnait pour objet à la discussion, la probabilité de la destruction de notre globe, soit par l'eau, soit par le feu ; enfin la vérité ou la fausseté des pressentiments et l'interprétation des rêves. Je me rappelle que ce qui donna lieu à cette dernière proposition fut le souvenir de Joseph, dont il venait de parler, comme il parlait de presque tout ce qui se rapportait au pays où nous allions, et que cet adroit ministre avait gouverné. »

Bonaparte n'arrivait donc pas au Caire en ignorant. Il pénétrait même avec une intelligence sympathique dans un monde nouveau auquel l'avaient déjà initié les conversations et les livres.

Toutes ces raisons dominent de haut l'histoire de l'expédition, la mettent à part, et, quelles qu'en aient été les journées heureuses et malheureuses, en ont fait, au lieu d'un brillant épisode militaire sans lendemain, un événement qui a laissé des traces fécondes.

Chapitre III

Les Pyramides

Bonaparte aimait à dire que le hasard à lui seul ne fait rien réussir. Il n'en est pas moins vrai que la chance le servit puisque l'escadre britannique qui croisait dans la Méditerranée ne rencontra pas ses convois. Nelson doutait encore que le général Bonaparte fût assez hardi pour descendre en Égypte en plein été, avec des troupes que rien n'avait préparées au climat, pas même la campagne d'Italie. D'ailleurs une partie venait de l'armée du Rhin. Le troupier, en débarquant, eut l'impression d'entrer « dans un four » et fut accablé par une chaleur excessive.

Ce fut donc un heureux concours de circonstances qui permit à Bonaparte d'arriver au but du voyage comme une énergie extraordinaire le fit triompher des difficultés et des épreuves physiques que l'armée rencontra en prenant contact avec la terre africaine. Cependant d'autres circonstances allaient, dès le début, influer sur la destinée de l'expédition. En route, la prise de Malte avait occupé du temps. Une fois qu'on fut en vue d'Alexandrie, il fallut aller vite. Les sondages du port, auxquels on procéda, ne donnèrent pas à l'amiral Brueys la certitude que la flotte pût y entrer sans accident. Elle resta au mouillage fatal d'Aboukir, où elle devait succomber bientôt sous les coups de Nelson.

Bonaparte avait plusieurs raisons de se hâter. En premier lieu, il était exposé à un retour inopiné de la flotte anglaise qui l'eût surpris au milieu d'un débarquement que l'état de la mer ne rendait pas très aisé. Ensuite il avait obligation d'atteindre Le Caire avant l'inondation du Nil. Enfin il était dans les principes les plus constant du général en chef de déconcerter l'ennemi par la rapidité de sa marche. Sans être nombreuses, ses forces étaient d'ailleurs imposantes, une trentaine de mille hommes, dont, selon les chiffres donnés par Marmont, un peu plus de 24 000 étaient présents sous les armes. Ils étaient répartis en cinq divisions d'infanterie et une de cavalerie avec des chefs d'élite. Les divisions Kléber et Desaix pouvaient passer pour les meilleures de l'armée française.

Le 1er juillet 1798, dans la nuit même, le corps expéditionnaire avait commencé à prendre terre sans rencontrer de résistance. Le débarquement fut malaisé. « Au milieu d'une mer en fureur, écrit un témoin, le capitaine Thurman, un soleil ardent sur la tête, nos barques se heurtaient en tous sens, se précipitant violemment les unes contre les autres. Nous ne pouvions réserver les distances qu'à l'aide d'un travail continuel au moyen de perches. Un mal de mer affreux s'empara de tout le monde, jusqu'aux matelots et aux pilotes. C'est ainsi, horriblement ballottés autour de la galère de Bonaparte, que nous passâmes tout le jour. Le soir seulement, les chaloupes purent se réunir. J'oublie de vous dire que c'étaient les divisions Kléber et Bon, venant des vaisseaux, et celles de Desaix, Reynier et Menou, venant des convois, qui formaient l'armée de débarquement.

« ... Le débarquement s'exécuta immédiatement sur la plage qui borde le désert. Personne ne partit. Du sable, quelques plantes épineuses et rabougries, voilà tout ce qu'offrait l'horizon. Au moment du débarquement, nous eûmes une assez vive alarme : on signala une voile de guerre dans le lointain. Ce pouvait être les Anglais et vous comprenez bien que nous n'étions guère prêts à un combat naval. Il y eut un instant de cruelle angoisse. Mais bientôt on sut que c'était un vaisseau français. Nous passâmes la première soirée assis sur le sable. Elle fut employée à un bon repas consistant en gigot, volailles, biscuits arrosés de vin et d'eau.

« A minuit, la générale battit. Je reçus alors l'ordre de me porter en avant avec la colonne de Menou pour reconnaître les carrières d'Alexandrie. En même temps, les autres colonnes faisaient un mouvement dans le même sens en longeant la mer. »

Le lendemain, sans avoir attendu l'artillerie ni la fin du débarquement des troupes, le général en chef était devant Alexandrie avec un peu moins de 4 000 hommes et se disposait à envoyer un parlementaire lorsqu'une fusillade assez vive, accompagnée de quelques boulets tirés par un seul canon, se fit entendre. Bonaparte s'étant aperçu que les murailles de la ville n'étaient qu'un vieux mur presque en ruine, sans parapet ni fossé, ordonna aussitôt la charge et l'escalade.

La défense n'eut rien d'acharné. Bonaparte, dans son rapport au Directoire, accusait trente à quarante tués, une centaine de blessés. Berthier donne seulement quinze tués et soixante blessés du côté français. Richardot affirme que les pertes des assaillants furent encore moindres et ne dépassèrent pas, tant tués que blessés, une vingtaine, dont Kléber, légèrement atteint d'une balle à la tête, et Menou, contusionné par la chute d'un pan de mur que ses soldats faisaient crouler à la main. Aussitôt Bonaparte entrait dans la ville, tandis que se faisaient entendre les derniers coups de feu. Il y trouva les maisons fermées, mais aucun signe que les habitants fussent résolument hostiles.

Sur l'heure, il fit lire sur les places et dans les rues la proclamation qu'il avait préparée et qui annonçait toute sa politique. De l'accueil que trouverait ce programme dépendait le succès de l'expédition. Et le général en chef déclarait qu'il ne venait pas pour faire la guerre aux peuples de l'Égypte mais pour combattre les beys et les Mamelouks, «ce ramassis d'esclaves achetés dans la Géorgie et le Caucase», tyrans de «la plus belle patrie du monde». Il ajoutait : « On vous dira que je viens détruire votre religion ; ne le croyez pas : répondez que je viens vous restituer vos droits, punir les usurpateurs et que je respecte, plus que les Mamelouks, Dieu, son prophète et l'Alcoran. »

S'adressant aux autorités civiles et religieuses, il les chargeait de répéter ces paroles singulières et qu'on aurait peine à expliquer si l'on ne tenait compte du détachement des soldats de la Révolution à l'égard de leurs propres croyances : « Dites au peuple que nous sommes amis des vrais Musulmans. N'est-ce pas nous qui avons détruit le pape, qui disait qu'il fallait faire la guerre aux Musulmans ? N'est-ce pas nous qui avons détruit les chevaliers de Malte, parce que ces insensés croyaient que Dieu voulait qu'ils fissent la guerre aux Musulmans ? »

Le général en chef rappelait encore que, de tout temps, les Français avaient été les amis du Grand Seigneur et les ennemis de ses ennemis. En terminant, il invitait les Égyptiens à se joindre à leurs libérateurs : « Trois fois heureux ceux qui seront avec nous !... Mais malheur, trois fois malheur à ceux qui s'armeront pour les Mamelouks et combattront contre nous ! »

Lue en arabe, cette proclamation, imprimée d'avance, fut répandue, pour attester qu'elle était sincère, par des Musulmans délivrés à la prise de Malte. L'effet, joint à celui que produisait la discipline des troupes, fut bien tel que Bonaparte l'avait prévu. L'appel à la population était lu, dit l'officier de correspondance Niello Sargy, « avec une sorte d'extase ». Les rues, jusque-là désertes, se remplirent et les boutiques furent ouvertes. Le soldat français, d'abord déconcerté par la nouveauté de tout ce qu'il voyait, se familiarisa vite avec les habitants.

Il apprit aussi, en peu de temps, à reconnaître ceux qu'il appelait les Égyptiens et dont il apprécia l'humeur douce et paisible, nullement « farouche » ni « fanatique », quoi qu'en aient dit des mémoires composés après coup auxquels les auteurs ont cru bon d'ajouter de la couleur locale et du romanesque. Le seul ennemi, avec les Mamelouks que la proclamation du général en chef désignait, était le Bédouin qui, déjà, avait harcelé l'armée dans le bref chemin qu'elle avait suivi après son débarquement.

Bonaparte, pour les raisons que nous avons vues, ne s'attarda pas à Alexandrie. Dès le 4 juillet au soir, la division d'avant-garde Desaix se dirigeait sur Le Caire par le chemin le plus direct, passant par Damanhour ; trois autres divisions suivirent de vingt-quatre en vingt-quatre heures. La 5e division, celle du général Dugua, partit le 5 pour Rosette, d'où elle devait remonter le Nil jusqu'à Rahmanyeh, lieu désigné pour le rassemblement général. Une flottille, aux ordres du chef de division Perrée, transportant deux brigades de cavalerie démontées, devait permettre à l'armée de manœuvrer sur les deux rives du Nil et tenir tête à la flottille que les Mamelouks y avaient eux-mêmes.

A son tour, Bonaparte quitta Alexandrie le 7 juillet, n'y laissant qu'une petite garnison et ayant donné des ordres pour qu'un lazaret fût immédiatement organisé. Il ne pensait pas seulement au service de santé militaire mais au bien des populations égyptiennes. C'était déjà la méthode à laquelle nous donnons aujourd'hui le nom de pénétration pacifique. Il venait, et il voulait qu'on le sût, pour combattre en même temps le « despotisme des beys » et la peste.

Il avait hâte d'arriver au Caire, n'ignorant pas que sur la route il se heurterait aux Mamelouks et désireux de profiter d'un effet de surprise. Cette marche fut très dure. La chaleur brûlante causa de cruelles souffrances. Elle déçut beaucoup les Français qui s'étaient imaginé l'Orient sous les couleurs féeriques des *Mille et une Nuits*. « Jamais, dit la relation de Larrey, armée n'a pu éprouver d'aussi grandes vicissitudes et d'aussi pénibles privations. »

Napoléon lui-même peint l'état d'esprit des troupes : « L'armée était frappée d'une mélancolie vague que rien ne pouvait surmonter, elle était attaquée du spleen, plusieurs soldats se jetèrent dans le Nil pour y trouver une mort prompte. Tous les jours, après que les bivouacs étaient pris, le premier besoin des hommes était de se baigner. En sortant du Nil, les soldats commençaient à faire de la politique, à s'exaspérer, à se lamenter sur la fâcheuse position des choses. « *Que sommes-nous venus faire ici ? Le Directoire nous a déportés !...* » Quelquefois ils s'apitoyaient sur leur chef qui bivouaquait constamment sur les bords du Nil, était privé de tout comme le dernier soldat ; le dîner de l'état-major consistait souvent en un plat de lentilles. « *C'est de lui dont on voulait se défaire, disaient-ils, mais, au lieu de nous conduire ici, que ne nous faisait-il un signal, nous eussions chassé ses ennemis du palais, comme nous avons chassé les Clichiens.* » S'étant aperçus que partout où il y avait quelques traces d'antiquité les savants s'y arrêtaient et faisaient des fouilles, ils supposè-rent que c'étaient eux qui, pour chercher des antiquités, avaient conseillé l'expédition. Cela les indisposa contre eux. Ils appelaient les ânes des savants. Caffarelli était à la tête de la commission. Ce grave général avait une jambe de bois. Il se donnait beaucoup de mouvement. Il parcourait les rangs pour prêcher le soldat. Il ne parlait que de la beauté du pays, des grands résultats de cette conquête. Quelquefois, après l'avoir entendu, les soldats murmuraient, mais la gaieté française reprenait le dessus. « *Pardi, lui dit un jour un grenadier, vous vous moquez de cela, général, vous qui avez un pied en France !!!* » Ce mot répété de bivouac en bivouac fit rire tous les camps.

Néanmoins, Napoléon, racontant les choses à distance, semble avoir exagéré le mécontentement, le dégoût et le « désespoir » de la troupe et même des chefs lors de ces premiers moments en Égypte. Le *Mémorial* va jusqu'à parler de complots pour enlever les drapeaux et les rame-ner à Alexandrie. Un témoin comme le lieutenant-colonel Richardot affirme qu'il n'y eut pas le moindre signe d'insubordination. « Chacun sentait, au contraire, que la sûreté de l'armée et par suite sa sûreté particulière, dépendait de l'ordre et d'un entier dévouement à ses devoirs. » On se plaignait, on grognait, on raillait, comme toujours. On avançait quand même, bien qu'on trouvât de pauvres villages au lieu de palais enchanteurs, qu'on souffrît des ophtalmies, du soleil et de la soif que les pastèques, inconnues de la plupart, vinrent étancher.

Les premières rencontres avec l'adversaire rendirent, en tout cas, l'entrain à une armée qui venait de passer oisive les longs jours de la traversée.

Le général Moreau disait : « Je fais la guerre, Bonaparte l'invente. » Pour résister à la cavalerie des Mamelouks, à leur manière de combattre et à leurs charges impétueuses, le général en chef, n'ayant pas lui-même de cavaliers, « inventa » les fameux « carrés » dont l'efficacité se reconnut tout de suite. Cependant ces formations, qui étaient nouvelles, ne furent pas comprises sur-le-champ, même de tous les officiers supérieurs. Il fallut, raconte le général Pelleport, « prendre successivement les pelotons et bataillons par la main pour les porter sur les terrains qu'ils devaient occuper dans la disposition générale ».

Sans cette idée de Bonaparte, il est certain que les engagements eussent été beaucoup plus meurtriers. Car c'est seulement d'engagements qu'il faut parler pour ce qui est qualifié de combat de Rahmanyeh et de bataille de Chebreïs.

Là, les chiffres des pertes françaises sur terre ont été grossis par certaines relations. Le général en chef dit la vérité lorsqu'il les appelle « des plus légères ». En revanche, on atténua dans le récit de la journée de Chebreïs ce qui avait trait à la flottille de Perrée qui, dominée par les rives du Nil qu'elle remontait, fut un moment dans une situation critique et faillit périr. L'eau

36

ne réussissait jamais à Napoléon. Mais quand on lit sous la plume de certains narrateurs que les Mamelouks portaient des « casques », on s'étonne moins du vague, des contradictions ou des arrangements que présentent d'autres récits. Il importait toutefois à Bonaparte que son expédition eût un tour épique. La bataille des Pyramides combla ses vœux puisqu'en lui assurant la possession du Caire elle entrait tout de suite dans la légende par l'inspiration qui lui dicta la fameuse apostrophe à ses soldats : « Quarante siècles vous contemplent ! »

Il faut d'ailleurs avouer que ce mot fameux comme tant d'autres mots historiques, semble avoir été arrangé après coup. Il est même contesté. Le jour où il aurait dû le prononcer le général en chef n'avait pas harangué les troupes. Qu'il ait été dit sur le terrain ou écrit à tête reposée, peu importe. Il a fait plus pour la gloire de Napoléon que sa victoire sur les Mamelouks. Il appartient à ce genre sublime qui n'échappe au ridicule que par le tour épique. C'était bien la manière de dire de Napoléon « à la fois orientale et bourgeoise », un effet du style que nous appelons « pompier » mais qui porte. Il y avait chez Napoléon un écrivain, un homme de lettres, un poète. Il calculait bien ses effets. Les quarante siècles en contemplation du haut de ces fabuleuses Pyramides unissent le prestige du passé au romanesque exotique. Ce n'est pas la moindre part de ce qui a fait ce que Sainte-Beuve appelle « la magie du nom de Napoléon ».

Jusque-là, Mourad s'était contenté de tâter l'adversaire. Il était résolu à défendre Le Caire, Bonaparte n'était pas moins décidé à aborder le chef des Mamelouks. Le 21 juillet, deux semaines après le départ d'Alexandrie, l'armée française se mettait en mouvement avant le jour et s'avançait vers « l'armée éclatante des beys en bataille dans la plaine, obliquement au Nil, sa droite appuyée au village retranché d'Embabeh sur le bord du fleuve, sa gauche à Boulaq ». Là surtout, les carrés, véritables remparts de fer et de feu où se brisaient les charges les plus furieuses, remportèrent la victoire. Et quand les Mamelouks eurent démasqué les batteries qui bordaient les retranchements d'Embabeh, une autre charge à la française les surprit et réduisit au silence leur quarante bouches à feu. En même temps, coupés par le centre, ils n'avaient de ressource que de se jeter dans le Nil.

Quelques heures plus tard, Ibrahim quittait Le Caire après avoir donné l'ordre d'incendier son propre palais et fuyait dans la direction de Belbeïs tandis que Mourad remontait vers la Haute-Égypte avec le reste de son armée. Comme l'avait promis le chef de l'expédition française, leur puissance était brisée.

Bonaparte n'était pas peu fier d'avoir vaincu les Mamelouks, cette « brave et belle milice », disait-il plus tard, « regardée jusqu'à nous comme invincible ». Et malgré la confiance dont il faisait preuve, il n'avait pas été tellement sûr du succès, témoin son mot à Vivant-Denon : « Allez donc voir les Pyramides ; on ne sait pas ce qui peut arriver. » Pourtant le soir du 21 juillet, à Gizeh, se réjouissant de pouvoir annoncer au Directoire que ses pertes avaient été des plus légères, bien qu'il eût eu à combattre dix mille véritables guerriers, il pouvait se regarder comme le maître de l'Égypte.

Dès le lendemain, à la pointe du jour, une députation lui apportait la soumission du Caire qui se plaçait sous sa protection. Le 25, après la construction d'un pont de bateaux, il faisait son entrée dans la ville, où régnait une tranquillité complète, les habitants vaquant à leurs affaires sans trouble et même sans curiosité, ce qui étonna le plus les Français. Mais ce calme les mit tout de suite à l'aise. « Ils marchaient dans la rue sans armes et n'inquiétaient personne, dit le *Journal d'un habitant du Caire*. Ils riaient avec le peuple et achetaient ce dont ils avaient besoin à un très haut prix, tellement qu'ils donnaient une piastre d'Espagne pour une poule et pour un œuf quatorze paras, payant d'après le prix que ces choses coûtent dans leur pays. Le peuple eut de la confiance en eux, leur vendit des petits pains, et toutes sortes de vivres ; on ouvrit les boutiques... L'armée française entrait peu à peu dans la ville et les soldats encombraient les rues. Ils s'établissaient dans les maisons. Ils n'inquiétaient personne et payaient bien ce qu'ils achetaient... La plupart des habitants ouvrirent des boutiques auprès de leurs maisons et vendirent des vivres. »

Bonaparte établit son quartier général place Esbékieh, dans le palais d'Elfy-Bey. Son rôle d'administrateur de l'Égypte allait commencer.

Chapitre IV

Le sultan Bonaparte

Six jours plus tard, le 1ᵉʳ août, un événement funeste semblait devoir le fixer pour longtemps dans le pays qu'il venait de conquérir en trois semaines. La flotte qui avait amené l'expédition avec un si rare bonheur était détruite par Nelson dans la rade d'Aboukir. Bonaparte, toujours si mal servi par la marine et les amiraux, ne pouvait même pas s'en prendre à Brueys qui avait péri avec son vaisseau *L'Orient*. C'était un désastre naval complet qui enfermait l'armée en Égypte et ne laissait au général en chef que les frégates avec lesquelles il devait s'échapper l'année suivante.

La bataille se déroula sous les yeux des soldats massés sur la côte et que l'angoisse étreignait. L'un de leurs officiers, le capitaine Thurman, nous fait suivre les phases du combat :

« J'étais encore avant-hier 14 thermidor (1ᵉʳ août) à Alexandrie, occupé de mes fevers, inondé de sueur sous un soleil ardent, quand, vers le midi, on vit pointer en mer, à l'ouest, une escadre assez nombreuse. Nous attendions le second convoi qui devait être escorté par l'escadre espagnole. La vue de ces bâtiments nous mit la joie au cœur. Je quitte sur-le-champ ma planchette, je donne congé à mes piqueurs et, montant avec Vinache sur la hauteur de l'Observation, je contemple à l'œil nu l'escadre qui avançait, toutes voiles dehors, par un vent favorable et par un temps superbe...

« Bientôt, cependant, trois vaisseaux de l'escadre se distancèrent et, longeant les côtes à demi-portée de canon, vinrent raser le phare et le port *sans sortir de pavillon*. Alors nous pûmes compter distinctement quinze vaisseaux et constater qu'ils faisaient voile vers Aboukir. Notre joie avait été de courte durée et bientôt, à la forme, nous reconnûmes que les bâtiments étaient anglais...

« Cependant le général Dumay fait rassembler la colonne mobile, on y joint tous les matelots canonniers et marins qui se trouvaient à Alexandrie et l'on se dirige, à marches forcées par le désert, vers Aboukir.

« Il était cinq heures et quart du soir. Nous étions en route, harcelés par les Bédouins, quand une vive canonnade nous annonça que l'engagement commençait. Le soleil était près de se coucher quand nous arrivâmes...

« ... Notre escadre était embossée sur une ligne droite à hauteur d'un îlot situé à quelques milles de la pointe d'Aboukir. Entre l'îlot et le premier bâtiment français régnait un espace assez considérable, occupé par des bas-fonds et jugé impassable pour des vaisseaux par l'amiral Brueys.

« Au moment de notre arrivée au château, sur le haut du donjon duquel nous montâmes, un vaisseau anglais nommé... ayant voulu franchir cet espace s'y était échoué ; il faisait néanmoins feu sur notre vaisseau de tête qui y répondait.

« L'escadre anglaise défilait sur deux lignes. L'une, malgré l'accident arrivé au..., passa sous l'îlot et rangea notre ligne au sud, tandis que l'autre lui faisait face au nord. Nos vaisseaux de guerre se trouvèrent ainsi bientôt entre deux feux. Nos autres bâtiments du reste de la ligne étant ancrés ne purent bouger pour les secourir, de sorte que la tête des nôtres, où se trouvait *L'Orient,* fut attaquée à la fois par toute la flotte anglaise, c'est-à-dire avec un feu très supérieur, tandis que nos bâtiments de queue devenaient inutiles...

« ... On faisait de part et d'autre une canonnade désespérée...

« ... Le soleil se couche..., point d'ordres..., point de signaux..., des tourbillons de flamme et de fumée enveloppent *L'Orient*... C'était un spectacle affreux... Notre angoisse était inexprimable.

« Cependant la nuit nous laisse encore quelque incertitude. Le bâtiment enflammé était-il anglais ou français ? Malgré la flamme, il continuait son feu... Nous voyons un bâtiment anglais amener son pavillon... La flamme augmente... Une explosion effroyable illumine la mer et fait jaillir en tous sens des gerbes ardentes sur une vaste circonférence... Une sombre horreur et un silence affreux lui succèdent... Le combat est un instant suspendu... Nos cœurs battent avec violence ; nous sommes haletants, frémissants et, sur notre donjon, pas un mot n'est prononcé...

« ... Cependant le combat a recommencé avec plus de force... Toute la nuit, les bordées continuent..., puis elles vont en diminuant... A la pointe du jour, *Le Tonnant*, rasé comme un ponton, se défend encore...

« L'aurore vient lever nos derniers doutes. Le champ d'horreur s'étend sous nos yeux. La mer est couverte de débris et de morts. Nous distinguons nos vaisseaux démâtés, rasés, en lambeaux, entourés par les bâtiments anglais presque en aussi mauvais état. Un vide dans la ligne indiquait la place de *L'Orient*. A sept heures, le second de nos bâtiments saute en l'air..., à huit heures et demie, *Le Tonnant*, seul, continuait son feu...

« Je n'essaierai pas de vous peindre notre consternation et notre rage... Tout le monde se coucha, harassé pour essayer un instant de repos impossible... La France n'a plus de flotte... Il faut maintenant que la terre égyptienne demeure notre tombeau ou notre patrie... Heureusement, les affaires au Caire sont aussi glorieuses que celles d'Aboukir sont désespérantes. »

D'Aboukir à Trafalgar, jamais Napoléon ne devait être heureux sur mer. Apprenant le désastre, il eut un mot romain après une brève colère où il rappela les avis qu'il avait en vain donnés à Brueys de s'abriter soit dans le port d'Alexandrie soit à Corfou. « Eh ! bien, s'écria-t-il, la perte de ce combat nous fera faire de plus grandes choses ! » C'est le mot que rapporte l'architecte Norry. Selon Marmont, il en aurait dit plus long à ses officiers. Déjà tout un plan était dans sa tête : « Nous voilà séparés de la mère patrie sans communication assurée ; eh ! bien, il faut savoir nous suffire à nous-mêmes ! L'Égypte est remplie d'immenses ressources ; il faudra les développer. Autrefois, l'Égypte, à elle seule, formait un puissant royaume : pourquoi cette puissance ne serait-elle pas recréée et augmentée des avantages qu'amènent avec elles les connaissances actuelles, les sciences, les arts et l'industrie ? Il n'y a aucune limite qu'on ne puisse atteindre, de résultat qu'on ne puisse espérer. »

Le général en chef n'a pas un moment de trouble. Huit jours après avoir appris la fatale nouvelle, il fonde l'Institut d'Égypte, de même que, plus tard, dans Moscou en flammes, il signera le décret qui règle encore le statut du Théâtre-Français.

Rajeunir l'Égypte, lui donner la civilisation moderne, c'est l'œuvre à entreprendre, l'idée qu'avait déjà le général en chef en partant. L'événement d'Aboukir faisait d'une conception en quelque sorte idéale un besoin réel. Cette défaite obligeait à être industrieux, à outiller et à équiper l'Égypte puisque l'armée, désormais coupée de la France et ne pouvant plus rien en recevoir, devait vivre désormais par ses propres moyens. Aussitôt fut décidée la construction d'arsenaux et de salpêtrières, de moulins, de fours, d'hôpitaux, etc. On s'établit comme pour un séjour de longue durée puisque la possibilité du retour était abolie.

Bloqué, contraint de vivre sur le pays et avec les habitants, Bonaparte était renforcé dans la politique qu'il avait annoncée en débarquant à Alexandrie et qu'il avait inaugurée dès son arrivée au Caire.

Le pouvoir des Mamelouks était anéanti. La « race impie des beys », comme disaient ses proclamations, était déchue et laissait la place libre. Il s'agissait de gouverner l'Égypte à la manière d'un protectorat avec le concours de ses autorités traditionnelles et spirituelles. Aux chefs et aux soldats il était recommandé de la manière la plus expresse de respecter non seulement les personnes et les propriétés (le pillage, fût-ce un larcin de dattes dans un jardin, était sévèrement puni), mais les croyances. « Ne craignez rien pour vos familles, vos propriétés et surtout pour la religion du Prophète, que j'aime », disait Bonaparte dans une proclamation au peuple du Caire. Et dans un ordre du jour à l'armée : « Ayez pour les cérémonies que prescrit l'Alcoran, pour les mosquées, la même tolérance que vous avez eue pour les couvents, pour les synagogues, pour la religion de Moïse et celle de Jésus-Christ. Les légions romaines protégeaient toutes les religions. »

Quant au général en chef, il entendait persévérer dans sa méthode : guerre aux Mamelouks seuls (Desaix fut envoyé dans la Haute-Égypte pour y poursuivre Mourad) ; s'attacher et employer les Coptes qui étaient leurs agents administratifs et leurs collecteurs d'impôts ; ne pas mettre en question la souveraineté nominale de la Porte ; s'adresser aux Arabes, « c'est-à-dire aux cheiks », et leur donner la prépondérance. Il « parla au peuple, dit sa relation des *Campagnes d'Égypte et de Syrie*, par le canal de ces hommes qui étaient tout à la fois les nobles et les docteurs de la loi et intéressa ainsi à son gouvernement l'esprit national arabe et la religion du Coran ».

Il disait encore : « Les cheiks sont les hommes de la loi et de la religion ; les Mamelouks et les janissaires sont les hommes de la force et du gouvernement. » Aussi attachait-il la plus grande importance à prendre contact avec les autorités morales et religieuses pour leur réitérer l'assurance que les Français n'en voulaient ni à leur foi ni à leurs coutumes, que la justice resterait aux cadis et que le pèlerinage de La Mecque serait protégé. Surtout il lui importait d'obtenir des oulémas de la mosquée d'El-Azhar une déclaration favorable. Il l'eut.

Quoique superficielle, sa connaissance de l'islamisme, qui remontait à d'anciennes lectures, l'intérêt qu'il portait aux hommes et aux choses de l'Orient, son intelligence des idées, sa pénétration naturelle, le servirent au plus haut point. « De tout temps, écrivait-il plus tard, les idées religieuses furent prédominantes chez les peuples de l'Égypte. Les Perses ne purent jamais s'établir, parce que les mages voulurent y faire adorer leurs dieux et chasser ceux du Nil... Quand Alexandre le Grand se présenta sur leurs frontières, ils accoururent à lui, accueillirent ce grand homme comme un libérateur. Quand il traversa le désert en quinze jours de marche, d'Alexandrie au temple d'Ammon et qu'il se fit déclarer par la prêtresse fils de Jupiter, il connaissait bien l'esprit de ces peuples, il flattait leur penchant dominant, il fit plus pour assurer sa conquête que s'il eût bâti vingt places fortes et appelé cent mille Macédoniens. »

Thiers dit que Bonaparte « déploya tout ce qu'il avait d'adresse ». C'est un peu rabaisser l'effort qu'il faisait pour comprendre l'esprit d'un peuple et une religion à laquelle il était étranger. Sa plus grande habileté fut la sympathie.

On a tiré parti contre lui du mot qu'il a dit plus tard à Rœderer : « C'est en me faisant catholique que j'ai fini la guerre de Vendée ; en me faisant musulman que je me suis établi en Égypte, en me faisant ultramontain que j'ai gagné les esprits en Italie. Si je régnais sur un peuple de Juifs, je rétablirais le temple de Salomon. » On en a conclu qu'en affectant la plus grande vénération pour le Prophète, en assistant aux cérémonies religieuses de

l'Islam, en déclarant que les oulémas étaient les déten-
teurs de la vérité, il avait joué avec succès une simple
comédie. Au contraire, il évitait avec soin de tomber dans
la mascarade. C'étaient ses subordonnés qui trahissaient
sa pensée lorsqu'ils disaient, comme un vieux briscard
des armées de la Révolution : « Nous trompons les
Égyptiens par notre simili-attachement à leur religion à
laquelle nous ne croyons pas plus qu'à celle de Pie le
défunt. »

Le « divan » du Caire était plus perspicace quand il
appelait Bonaparte « le doué d'une intelligence sans
bornes ». Et Michelet est plus juste quand il écrit : « Les
très grands comédiens sont tels parce que tout n'est pas
feint dans leur jeu... Il avait un penchant réel pour les
mœurs, les idées d'Orient. Il eut un instant l'idée de
s'habiller à la turque. Mais il était petit ; cela lui allait
mal ; il renonça. » Michelet ajoute, ce qui est encore vrai,
que Bonaparte était sous l'influence de son milieu, de ses
compagnons, « société de tant d'hommes éminents, bien-
veillants, pleins d'une sympathie admirable pour le pays
qu'ils espéraient régénérer ». Lui-même avait d'heureuses
inspirations, des trouvailles. Il s'est plu à raconter une
anecdote dont il était fier. Un jour, au divan du Caire, on
l'informe que des pillards, aux portes de la ville, ont tué
un fellah et enlevé son troupeau. Il s'indigne, ordonne de
poursuivre les coupables et de les punir.

« Est-ce que ce fellah est ton cousin, lui dit un cheik,
pour que sa mort te mette tant en colère ?

— Oui, répondit Bonaparte, tous ceux que je commande sont mes enfants.

— *Taïb !* (« bien ! ») s'écria le cheik, tu parles là comme
le Prophète. »

La participation du général en chef et de l'armée aux fêtes traditionnelles de l'inondation du Nil et de la naissance de Mahomet reste parmi les épisodes les plus fameux de l'occupation française.

La fête du Nil eut un éclat incomparable. Elle frappa jusqu'aux savants de l'expédition ; l'un d'eux en a fixé le souvenir : « Le moment de l'inondation fut proclamé cette année pour le 1er fructidor (18 août). Ce fut, comme à l'ordinaire, un jour de réjouissance et de fête solennelle pour les Égyptiens. Le pacha Aboubokir, gouverneur du Caire, descendit du château, accompagné de toute sa cour, ayant le général en chef des Français à sa droite, environné de son état-major, ils se rendirent ensemble dans la plus grande pompe à Fostat, dit le Vieux-Caire, où commence le canal qui traverse la ville neuve du Caire. Le peuple fut dans la plus grande joie de voir les Français assister à cette fête, tant Bonaparte avait gagné son amitié et mérité sa reconnaissance.

« Bonaparte et le pacha se placèrent sous un pavillon magnifique, dressé à la tête de la digue. Les chefs de la religion y parurent montés sur des chevaux richement caparaçonnés. Tous les habitants, à cheval, à pied et en bateaux, s'empressèrent d'assister à cette solennité. Plus de deux cent mille couvraient la terre et les eaux. La plupart des bateaux agréablement peints, artistement sculptés, étaient ornés d'un dais et de banderoles de diverses couleurs. On reconnaissait ceux des femmes à leur élégance, à leur richesse, aux colonnes dorées qui portaient le dais, et surtout aux jalousies abaissées sur les fenêtres. Tout le peuple demeura en silence jusqu'au moment où le général des Français, à qui le pacha avait eu l'air de déférer cet honneur, donna le signal.

A l'instant, des cris de joie s'élevèrent dans les airs ; les trompettes sonnèrent des fanfares, et le son des timbales et des autres instruments retentit de toutes parts. Des travailleurs rassemblés renversèrent dans le canal une statue de terre placée sur la digue et qu'on nomme *la Fiancée*. C'est un reste de l'ancien culte des Égyptiens qui consacraient une vierge au dieu du Nil, et qui, dans des temps de calamités, l'y précipitaient quelquefois. La chaussée fut bientôt détruite, et les eaux, ne trouvant plus d'obstacle, coulèrent vers Le Caire.

« Bonaparte et le pacha jetèrent dans le canal des pièces d'or et d'argent que des plongeurs habiles ramassèrent sur-le-champ : espèce d'offrande au Nil en signe de toutes les richesses qu'il procure au pays.

« Durant cette journée, les habitants paraissaient dans l'ivresse : on se félicitait, on se faisait des compliments, et l'on entendait de tous côtés des cantiques d'actions de grâces. Une foule de danseuses parcourant les bords du canal égayaient les spectateurs par leurs danses lascives.

« Les nuits suivantes offrirent un spectacle encore plus agréable. Le canal remplit d'eau les grandes places de la capitale. Le soir, chaque famille se réunit dans des barques ornées de tapis, de riches coussins et où la mollesse avait toutes ses commodités ; les rues, les mosquées, les minarets, étaient illuminés ; on se promenait de place en place, portant avec soi des fruits et des rafraîchissements.

« L'assemblée la plus nombreuse était à Esbekieh. Cette place, la plus grande de la ville, a près d'une demi-lieue de circuit ; elle forme un immense bassin, environné des palais des ci-devant Mamelouks : ces palais étaient

50

éclairés de lumières de diverses couleurs. Plusieurs milliers de bateaux, aux mâts desquels des lampes étaient suspendues, y produisaient une illumination mobile dont les aspects variaient à chaque instant. La pureté du ciel, presque jamais voilé par des brouillards, l'or des étoiles étincelant sur un fond d'azur, les feux de tant de lumières répétés dans les eaux, faisaient jouir, dans ces promenades charmantes, de la clarté du jour et de la fraîcheur délicieuse de la nuit. Avec quelle volupté ce peuple, brûlé pendant douze heures par un soleil ardent, venait-il respirer sur ces lacs l'haleine rafraîchissante des zéphirs !

« La bizarrerie des mœurs orientales contrariait un peu les Français qui assistaient à ces spectacles. Les hommes se promenaient avec les hommes, les femmes avec les femmes. Difficilement aurait-on pu se procurer le charme de leur société ; le déguisement qu'il aurait fallu prendre, les dangers qui l'auraient accompagnés par la sévérité des lois turques sur ce sujet, le respect pour l'hospitalité et surtout la crainte de déplaire à un général, l'ami et le défenseur des mœurs, avertissaient la raison et forçaient la prudence. »

Bonaparte voulait que l'armée s'associât à la vie du pays. Il créait aussi des institutions. Un conseil composé de notables fut formé au Caire comme déjà il avait été fait à Alexandrie.

Il fut convenu qu'il en serait établi d'autres dans chacune des quatorze provinces d'Égypte. Ceux-là débuteraient au divan du Caire qui deviendrait comme un grand Conseil national. Enfin l'Institut d'Égypte pour « le progrès et la propagation des lumières « était fondé, Monge à sa tête, avec ses quatre classes, – mathématiques, physique, économie politique, littérature et arts, – et tenait sa première séance le 23 août [1].

« L'Institut d'Égypte, écrivit plus tard Napoléon, fut composé de membres de l'Institut de France, et des savants et artistes de la commission étrangers à ce corps. Ils se réunirent et s'adjoignirent plusieurs officiers d'artillerie, d'état-major et autres qui avaient cultivé les sciences ou les lettres.

« L'institut fut placé dans un des palais des beys. La grande salle du harem, au moyen de quelques changements qu'on y fit, devint le lieu des séances, et le reste du palais servit d'habitation aux savants. Devant ce bâtiment était un vaste jardin qui donnait dans la campagne, et près duquel on éleva sur un monticule le fort dit de l'Institut.

« On avait apporté de France un grand nombre de machines et instruments de physique, d'astronomie et de chimie. Ils furent distribués dans les diverses salles, qui se remplirent aussi successivement de toutes les curiosités du pays, soit du règne animal, soit du règne végétal, soit du règne minéral.

« Le jardin devint jardin de botanique.

---

1. Aux termes d'un arrêté du général Bonaparte en date du 22 août 1798, l'Institut d'Égypte était ainsi composé :

Mathématiques : Andréossi, Bonaparte, Costaz, Fourier, Girard, Lepère aîné, Leroy, Madus, Monge, Nouet, Quesnot, Say.

Physique : Berthollet, Champy, Conté, Delille, Descostils, Desgenettes, Dolomieu, Dubois, Geoffroy, Savigny.

Économie politique : Caffarelli, Gloutier, Poussielgue, Sulkowski, Sucy, Tallien.

Littérature et Arts : Denon, Dutertre, Norry, Perseval, Redouté, Rigel, Venture, D. Raphaël de Monachis (prêtre grec).

« Un laboratoire de chimie fut placé au quartier général ; plusieurs fois par semaine Berthollet y faisait des expériences, auxquelles assistaient Napoléon et un grand nombre d'officiers.

« L'établissement de l'Institut excita vivement la curiosité des habitants du Caire. Instruits que ces assemblées n'avaient pour objet aucune affaire religieuse, ils se persuadèrent que c'étaient des réunions d'alchimistes, où l'on cherchait le moyen de faire de l'or.

« Les mœurs simples des savants, leurs constantes occupations, les égards que leur témoignait l'armée, leur utilité pour la fabrication des objets d'art et de manufacture pour lesquels ils se trouvaient en relation avec les artistes du pays, leur acquirent bientôt la considération et le respect de toute la population. »

Deux journaux, la *Décade égyptienne*, qui rendait compte des travaux de l'Institut, et le *Courrier d'Égypte*, qui donnait les nouvelles d'intérêt général, parurent bientôt. Un programme de travaux publics fut amorcé, la perception des impôts organisée en tenant compte des droits du représentant du Sultan sur le *miri*, impôt territorial dû à la Porte.

En poursuivant Ibrahim, qui ne put être pris mais fut contraint de franchir l'isthme de Suez et de se réfugier en Syrie, le général en chef avait tenu sa parole et délivré des Bédouins la caravane des pèlerins de La Mecque. Pénétration pacifique ou colonisation, tout avait avancé très vite et comme à souhait. D'une manière générale, l'armée était bien accueillie et les Français vivaient en bons termes avec la population. Les attentats isolés étaient rares. Ils étaient punis avec rigueur, sans excès. Le fait le plus grave avait été le massacre de la garnison de Mansourah où la haine des Infidèles ne paraissait pas éteinte depuis saint Louis. Bonaparte, sur le premier moment, ordonna d'infliger à la ville un châtiment exemplaire. Le général Dugua prit sur lui d'adoucir la sévérité de l'ordre et il fut ensuite approuvé.

La fête du 1ᵉʳ vendémiaire (22 septembre) semblait marquer le succès définitif de la politique du général en chef. Étrange fête que celle de l'anniversaire de la proclamation du régime républicain en France célébré sur la terre égyptienne !

Sur l'obélisque de la place Esbékieh, où était passée la revue, on avait gravé en français et en arabe, d'un côté : *A la République, l'an VIIᵉ* ; de l'autre : *A l'expulsion des Mamelouks, l'an VIᵉ*.

« Des bas-reliefs, écrit encore un des savants de l'expédition, ornaient le piédestal de cet obélisque. Sur le tertre environnant, sept autels de forme antique, entremêlés de candélabres, supportaient des trophées d'armes surmontés de drapeaux tricolores et de couronnes civiques. Au milieu de chacun de ces trophées était placée la liste des braves de chaque division morts en délivrant l'Égypte du despotisme des Mamelouks...

« ... Tout l'état-major, tous les généraux, tous les chefs de corps, les employés des administrations, les Arabes, les savants, le pacha, l'émir, les membres du Divan, tant du Caire que de provinces, les agas et commandants turcs furent invités à dîner par le général en chef.

« Une table de cent cinquante couverts, somptueusement servie, était dressée dans la salle basse de la maison qu'il occupe. Les couleurs françaises étaient unies aux couleurs turques ; le bonnet de la Liberté et le Croissant, la Table des droits de l'Homme et l'Alcoran se trouvaient sur la même ligne ; la gaieté française était modérée par la gravité turque. On laissa aux musulmans la liberté des mets, des boissons, et ils parurent très satisfaits des égards que l'on eut pour eux.

« A quatre heures, les courses commencèrent. Le prix de celle à pied fut gagné par Pathou, caporal dans le premier bataillon de la 75ᵉ demi-brigade ; le second par Mariton, aussi caporal dans le troisième bataillon de la même demi-brigade.

« Les courses de chevaux étaient attendues avec impatience par tous les spectateurs ; chacun désirait voir les chevaux français disputer le prix avec les chevaux arabes. La réputation de ces derniers était grande, mais ce jour devait la voir détruite. Le premier prix fut donné au commissaire ordonnateur en chef Sucy, propriétaire d'un cheval français qui avait parcouru l'espace de 1.333 toises en quatre minutes ; le second prix au général Berthier, propriétaire d'un cheval arabe qui avait employé dix secondes de plus, et le troisième à l'aide de camp Junot qui avait été en retard de quinze secondes, avec un cheval arabe.

« Lorsque le jour eut cessé, tout le pourtour du cirque fut illuminé de la manière la plus brillante. Les guirlandes, les colonnes, l'arc de triomphe, étaient répétés par des lampions qui produisaient le meilleur effet. Les Turcs entendent fort bien ce genre de décoration, et on les avait chargés de l'exécution de cette partie de la fête.

« A huit heures, on tira un feu d'artifice d'une belle composition. Des décharges nombreuses de mousqueterie et d'artillerie ajoutaient à la beauté du spectacle. Un nombre considérable de dames turques remplissait les maisons qui forment le pourtour de la place d'Esbékieh.

Les Français qui s'y trouvèrent eurent pour elles les prévenances qui caractérisent spécialement notre nation. Elles parurent ne pas répugner à connaître la différence qui existe entre nos habitudes et les leurs.

« Les Turcs furent étonnés par le nombre de nos troupes et leur bonne tenue. La précision avec laquelle les exercices à feu furent exécutés et l'artillerie servie les frappa fortement. »

Bonaparte disait plus tard que ses soldats n'avaient pas été loin d'embrasser l'islamisme et qu'il y eût « suffi d'un simple ordre du jour ». Le général Menou avait donné l'exemple. Il s'était converti en épousant une musulmane, se faisait appeler Abdallah Menou, et Bonaparte, en lui écrivant, lui parlait de « notre Prophète ».

Tout compte tenu de quelques exagérations auxquelles Napoléon s'est complu dans ses récits ultérieurs quand il évoquait les brillantes années de sa jeunesse, l'Égypte continuait bien pour lui ce qu'avait été l'Italie. Il a été au Caire, avec plus d'indépendance encore, ce qu'il avait déjà été à Mombello, chef d'État en même temps que chef d'armée, législateur autant que militaire. Saint-Beuve, analysant les *Souvenirs* du général Pelleport, dit très bien qu'en Égypte, Bonaparte a fait « son expérience et comme sa répétition de souveraineté et d'empire, à huis clos, dans cet Orient où il est enfermé, et loin de l'Europe qui a les yeux sur lui et dont un rideau magique le sépare ». Les Égyptiens furent sensibles à ce prestige. Ils surnommèrent le général en chef Sultan-le-Grand. Et Desaix qui, après avoir, en une campagne très dure, avec trois mille hommes seulement, refoulé Mourad au sud, avait administré la Haute-Égypte, ils le surnommèrent Sultan-le-Juste.

Sans se livrer à des hypothèses sur le cours que les choses eussent pris si l'occupation française s'était poursuivie sans incident ni diversion à l'extérieur, un fait nouveau, plus grave que la défaite navale d'Aboukir et qui d'ailleurs était en rapport étroit avec elle, s'était produit au commencement de septembre. La Turquie avait déclaré la guerre à la France, c'est-à-dire à Bonaparte.

Chapitre V

Le Caire en révolte

C'est en vain que Bonaparte, depuis le jour de son débarquement, avait protesté au pacha qu'il entendait respecter les droits de la Sublime Porte, en vain qu'il s'était réclamé de la vieille amitié de la France et de la Turquie et d'une alliance qui remontait à François Ier. Le sultan Sélim se laissa entraîner, contre toutes les traditions de la politique turque, dans la coalition de l'Angleterre et de la Russie, justifiant ainsi la prophétie de Volney qui, dès 1788, dans la relation de ses voyages en Orient, avait dit que la France ne pourrait s'établir en Égypte sans être en lutte à la fois avec la puissance britannique et avec la puissance ottomane. Et si relâchés que fussent les liens de l'Égypte avec Constantinople, cette déclaration de guerre devait produire de l'émotion dans la population égyptienne.

Les témoins sont d'accord que tout paraissait calme au Caire, que les rouages du nouveau gouvernement fonctionnaient bien, que la justice était rendue régulièrement, que la ville était paisible, lorsque, subitement, dans

1798 !

la matinée du 21 octobre, l'insurrection éclata. Qu'elle ait été fomentée par des agents anglais et turcs et par la clientèle qu'Ibrahim et Mourad pouvaient avoir encore, ce n'est pas douteux. Qu'elle n'ait pas été générale, c'est un fait et qui montre peut-être mieux que tout le succès de la politique suivie par Bonaparte. Il n'en est pas moins vrai que les excitations des émissaires ennemis ne restèrent pas sans effet sur une partie du peuple qu'on appela tantôt « la canaille » et tantôt « les fanatiques ». C'est que, malgré les précautions prises, les Français, arrivés en libérateurs, n'avaient pu éviter de heurter des usages, de déranger beaucoup de gens dans leurs habitudes et même de léser des intérêts.

La guerre a ses nécessités. Les Français étaient comme perdus dans une ville immense et mystérieuse. Il avait fallu prendre des mesures de sécurité qui causèrent une sourde irritation. Le général Dupuy, commandant la place, avait fait enlever les portes séculaires qui fermaient les rues la nuit et obligé chaque propriétaire à éclairer sa maison. Plus grave encore était le règlement auquel on pensa un moment pour le port du voile. Mais ces femmes qu'il était impossible de reconnaître n'étaient-elles pas inquiétantes ? A la faveur d'un travestissement, un assassin ne pouvait-il trop aisément disparaître après son crime ? Certaines mesures qui, elles, furent prises effectivement par l'autorité française pour le bien général lui-même, devinrent, elles aussi, persécution. Telles étaient, trop souvent, les mesures sanitaires. Lorsque l'ordre eut été donné de déplacer un cimetière par crainte de la peste, on cria à la profanation.

L'administration française, trop méticuleuse, n'était pas non plus sans causer du mécontentement. Il était bien, pour garantir les propriétés contre les usurpations, d'exiger la production des titres. Mais souvent l'occupant n'en avait pas ou ne tenait pas à dire l'origine de sa possession. De même pour le fisc. Les maisons des villes et les boutiques avaient été imposées alors que, jusqu'à l'arrivée des Français, les agglomérations urbaines étaient exemptes de taxes. Les collecteurs d'impôts étaient des Coptes, regardés comme une race inférieure et qui entraient dans les domiciles, prononçaient des amendes, etc. Enfin la vente publique du vin, indispensable pour les soldats français, était un scandale pour les musulmans rigoristes. Quant à la cause déterminante de l'insurrection, le sujet de mécontentement que les instigateurs exploitèrent avec le plus de succès fut très probablement l'établissement du cadastre pour la répartition équitable de l'impôt. Les recensements, les dénombrements ont toujours été haïs en Orient et regardés, non sans raison, comme une menace d'atteinte à la liberté individuelle.

Cependant la police militaire française n'avait pas été tellement stricte puisque les révoltés avaient pu garder des armes. Le narrateur musulman de l'occupation française, Abdurrahman Gabarti (traduit en 1838 par Cardin), raconte qu'au moment de l'entrée au Caire, un arrêté avait d'abord exigé que tous les habitants remissent les leurs. Les autorités françaises y avaient renoncé, le bruit s'étant répandu que c'était un prétexte pour violer les domiciles et les piller.

D'autre part, la défaite navale d'Aboukir avait eu un effet moral fâcheux. On disait que c'était la sentence divine qui condamnait les envahisseurs. Le respect qu'inspirait la force des Français en fut atteint. Il n'était

61

pas vrai qu'ils fussent invincibles, suggérait la propagande ennemie.

Cette propagande redoubla quand on apprit que la Turquie entrait en guerre. Un manifeste, fort bien fait pour exciter le zèle des croyants, fut répandu comme venant du sultan lui-même. On y disait que le gouvernement de la France, gouvernement impie, destructeur de toutes les religions, avait donné pour mission à son armée d'anéantir les villes saintes, assertion que réfutait pourtant la correspondance échangée entre le chérif de La Mecque et « notre grand ami Bonaparte, soutien des hautes colonnes de l'empire français, doué d'une haute sollicitude ».

Le narrateur syrien Nakoula prétend que 2 000 Français furent tués au cours de l'insurrection. L'état-major n'accusa que trois cents victimes, chiffre que d'autres témoignages réduisent à une cinquantaine parmi lesquelles le général Dupuy et le chef de brigade Sulkowski. Tous deux furent tués à vingt-quatre heures d'intervalle, s'étant portés, précipitamment et avec une égale témérité, suivis seulement de quelques cavaliers d'ordonnance, au-devant des insurgés. Ceux-ci débouchaient d'une rue étroite pour s'emparer du quartier général. Un peloton d'infanterie les arrêta.

Dès le lendemain, la révolte était refoulée dans la grande mosquée. Un bombardement de six heures vint à bout des rebelles. C'est pendant ce combat que l'orientaliste Marcel, l'éditeur et traducteur des fables de Loqman, exposa sa vie pour sauver un manuscrit arabe précieux.

Les membres de l'Institut passèrent quelques heures dans l'angoisse. « Nous apprîmes, écrivit Denon dans son

Voyage en Égypte, que la maison du général Caffarelli venait d'être pillée, que plusieurs personnes de la commission des Arts y avaient péri. Nous fîmes la revue de ceux qui manquaient parmi nous : quatre étaient absents ; une heure après, nous sûmes par nos gens qu'ils avaient été massacrés. Nous n'avions point de nouvelles de Bonaparte ; la nuit arrivait ; les fusillades étaient partielles ; les cris s'entendaient de toutes parts ; tout annonçait un soulèvement général...

« ... Le lendemain la guerre recommença avec les premiers rayons du jour : on nous envoya des fusils ; tous les savants se mirent sous les armes : on nomma des chefs ; chacun avait son plan, mais personne ne croyait devoir obéir.

« Dolomieu, Cordier, Delisle, Saint-Simon et moi, nous étions logés loin des autres ; notre maison pouvait être pillée par qui aurait voulu en prendre la peine : soixante hommes venaient d'arriver au secours de nos confrères ; rassurés sur leur compte, nous prîmes le parti d'aller nous retrancher chez nous, de manière à tenir quatre heures au moins, si l'on nous attaquait avec des forces ordinaires, et attendre ainsi le secours que notre feu aurait sans doute appelé. Nous crûmes un moment être investis ; nous avions vu fuir tous les paisibles habitants ; les cris s'entendaient sous nos murs et les balles sifflaient sous nos terrasses ; nous les démolissions pour écraser avec leurs matériaux ceux qui seraient venus pour enfoncer nos portes ; dans un cas extrême, l'escalier, par où l'on pouvait nous atteindre, était devenu une machine de guerre à ensevelir tous nos ennemis à la fois ; nous jouissions de nos travaux, lorsqu'enfin la grosse artillerie du château vint faire la diversion après laquelle je soupirais ; elle produisait tout l'effet que j'en attendais ; la consternation succéda à la fureur. »

En somme, ni d'un côté ni de l'autre, la lutte n'avait été vraiment farouche. « Tandis que ces choses se passaient, dit Richardot, les principaux chefs de la ville protestaient de leur innocence auprès du général Bonaparte ; de généreux habitants exposaient leur vie en sauvant celle de plusieurs de nos soldats que l'insurrection avait trouvés isolés au milieu de cette grande cité. Les uns les contraignirent à entrer dans leurs propres demeures ; d'autres firent plus : ils en arrachèrent des mains des révoltés prêts à les décapiter. »

Une fois l'insurrection vaincue (et il suffit pour l'étouffer de moins de quarante-huit heures), Bonaparte fut ce qu'il avait été à Paris après la journée de Vendémiaire. Il ne voulut mettre ni vengeance ni fureur dans la répression. « Les habitants se complimentèrent, écrit naïvement Gabarti, et ne pouvaient croire que cela pût se terminer ainsi. »

Le général en chef était arrivé avec une méthode et une politique, celle qui consistait à « marier le Croissant et le Bonnet rouge, les Droits de l'Homme et le Coran ». Il était résolu à n'en pas changer. La clémence acheva son œuvre. Il a raconté lui-même cette anecdote, peut-être un peu mise en scène.

N'ignorant pas que le vieux cheik Sadah avait été l'âme de l'insurrection, il l'accueillit néanmoins comme de coutume. Kléber, à ce moment, arrivait d'Alexandrie. Il demanda qui était ce vieillard qui baisait les mains de Bonaparte.

– C'est le chef de la révolte, lui répondit Napoléon.

– Eh ! quoi ? Vous ne le faites pas fusiller ?

– Non, ce peuple est trop étranger à nous, à nos habitudes; il lui faut des chefs. J'aime mieux qu'il en ait d'une espèce pareille à celui-ci qui ne peut ni monter à cheval ni manier le sabre, que de lui en voir comme Mourad-Bey. La mort de ce vieillard impotent ne produirait aucun avantage et on aurait pour nous des conséquences plus funestes que vous ne pensez.

Kléber tourna le dos et ne comprit pas. Plus tard, il fit bâtonner le même Sadah et le coup de poignard de Soleyman en fut la conséquence funeste.

Cependant, bien que l'avertissement n'eût pas été plus grave, l'insurrection du Caire, qui se fût étendue si elle n'avait été aussi rapidement éteinte, affermissait le général en chef dans l'idée de ne pas attendre les Turcs et de marcher au-devant d'eux. Déjà le plan de la campagne de Syrie était arrêté dans son esprit. Il avait trois mois pour le préparer.

A la fin de décembre, réalisant un projet qui lui tenait à cœur, il se rendit à Suez.

« Parmi les travaux dont l'Institut avait à s'occuper, raconte P. Martin, un des ingénieurs qui accompagnaient le général, l'examen de la question du canal de jonction de la mer Rouge à la Méditerranée tenait le premier rang. Pour commencer les opérations, il fallait être entièrement maître de l'isthme...

« ... Bonaparte, lui-même, voulut aller visiter ce point important de la géographie. Il se fit accompagner de MM. Monge, Berthollet, Costaz et Lepère.

« Partis du Caire le 4 nivôse an VII (24 décembre 1798) on n'arriva à Suez que le soir du lendemain 6. Après avoir vu et ordonné pendant toute la journée du 7 tout ce que pouvaient exiger les besoins de la place sous les rapports de la défense, du commerce et de la marine, Bonaparte alla, le 8, visiter les sources de Moïse, situées de l'autre côté de la mer Rouge, à trois lieues de Suez. A son retour dans cette ville, il courut un très grand danger et se vit sur le point de renouveler le miracle du passage de cette mer par le Pharaon qui, poursuivant les Israélites, fut englouti avec toute son armée. La caravane avait passé à pied sec comme les Israélites, mais, au retour, le flot remontait, et, comme la côte est extrêmement basse dans le fond du golfe, le flot allait gagner le général en chef, lorsqu'un guide, le voyant en danger, le prit sur ses épaules et l'emporta avec vitesse.

« Le 10 nivôse (30 décembre), on repartit de Suez, et le général en chef, laissant la caravane se diriger sur Adgeroud, courut au nord pour découvrir les vestiges de l'ancien canal qu'il reconnut en effet et suivit sur environ cinq lieues jusqu'à l'entrée du bassin des lacs Amers où il se termine. Il rejoignit la caravane à Adgeroud et se porta le 14 nivôse (3 janvier 1799) à Belbeis, d'où il pénétra dix lieues dans l'Ouadi-Tomilât pour reconnaître la partie du canal qui avait été dérivée du Nil.

« Aussitôt après son retour au Caire, il fit fournir aux ingénieurs tous les moyens nécessaires pour un long séjour dans le désert, afin de pouvoir y faire avec facilité les opérations de levée de plan et de nivellement ; ceux-ci repartir pour Suez le 26 nivôse (15 janvier) avec le général de brigade Junot, commandant la place. »

Bonaparte revient avec cette vue prophétique : « Les restes du canal sont parfaitement conservés et il n'y a aucune espèce de doute qu'un jour les bateaux ne puissent transporter les marchandises de Suez à Alexandrie. »

Avant de quitter Le Caire pour la Syrie – départ qui eut lieu dans la deuxième semaine du mois de février 1799 –, Bonaparte créa encore un conseil des finances. Il voulut aussi prendre part à la fête du Ramadan et qu'elle fût célébrée avec éclat. Il était tenace dans son dessein d'employer, comme dit l'auteur des *Victoires et Conquêtes des Français*, « plus l'art que la force pour se faire un parti chez les Égyptiens » et de créer chez eux une « nation ».

Chapitre VI

Saint-Jean-d'Acre

La campagne de Syrie ne forme pas un épisode à part dans l'histoire de l'expédition d'Égypte. C'est seulement pour les raisons que nous allons voir que Bonaparte l'a grandie, stylisée, rehaussée dans les imaginations, au point d'en faire une nouvelle Anabase.

Ses mémoires disent très précisément pourquoi il s'était décidé à passer en Asie. Il explique qu'après la bataille de Sédiman, gagnée par Desaix sur les Mamelouks le 7 octobre 1798, et la répression rapide de la révolte du Caire, Mourad et Ibrahim étaient disposés à se soumettre. Mais la nouvelle que deux armées turques entraient en campagne changea tout. « Dans la crainte de cette invasion, disent les *Mémoires*, l'esprit public de l'Égypte rétrogradait, il n'était plus possible de rien faire. Si une division anglaise se joignait à l'armée de Rhodes, cette invasion deviendrait bien dangereuse. Napoléon résolut de prendre l'offensive, de passer lui-même le désert, de battre l'armée de Syrie à mesure que les diverses divisions se réuniraient, de s'emparer de tous ses magasins et des places d'El-Arish,

69

de Gaza, de Jaffa, d'Acre, d'armer les chrétiens de la Syrie, de soulever les Druzes et les Maronites et de prendre ensuite conseil des circonstances. »

Jusqu'ici, rien que de naturel. Tels étaient les objectifs militaires et politiques que Bonaparte devait se proposer. Il s'agissait de constituer un boulevard propre à protéger l'Égypte contre les Turcs. Dit-il la vérité ou se fait-il des illusions à distance lorsqu'il ajoute qu'il espérait qu'après la prise de Saint-Jean-d'Acre, les Mamelouks, les Druzes et les Maronites se joignant à lui, il aurait une armée de 50 000 hommes dont 26 000 Français, Desaix en gardant 20 000 dont 10 000 Français et 10 000 Noirs encadrés ? L'invraisemblance de ces calculs saute aux yeux. Le corps d'expédition n'a jamais compté plus de 33 000 hommes, y compris les non-combattants et les marins sauvés du désastre naval d'Aboukir, sans oublier que la maladie et les combats avaient déjà fait des victimes. Napoléon était-il encore sincère lorsqu'il disait qu'en juin il eût été maître de Damas et d'Alep, ses avant-postes sur le Taurus, qu'alors la Porte, contrainte à la paix, eût agréé sa marche sur l'Inde ? « Si la fortune se plaisait à favoriser ses projets, il pouvait encore arriver sur l'Indus au mois de mars 1800 avec plus de quarante mille hommes, etc. »

L'affirmation péremptoire par Napoléon lui-même des projets gigantesques qu'il avait nourris en a imposé. On n'a pas mis sa parole en doute. On en a tiré des conclusions contre lui-même et contre ce que son esprit avait de dangereusement démesuré. On en a déduit également que l'Orient et Constantinople avaient toujours dominé sa politique. Il importe donc de discerner si son échec de Saint-Jean-d'Acre, qui lui fut pénible, a détruit un grand dessein, et si, devant cette place, son destin a tourné comme il le soutenait encore à Sainte-Hélène.

La campagne de Syrie, jusqu'au siège de Saint-Jean-d'Acre, se développe de la façon la plus régulière. Bonaparte s'empare d'El-Arish, indispensable à la sécurité de l'Égypte. Il s'empare de Jaffa. Ici se place l'affreux épisode du massacre des prisonniers turcs, dont le souvenir poursuivait Napoléon à Sainte-Hélène. Pour expliquer son acte, l'Empereur déclarait qu'il ne pouvait alors nourrir ces malheureux, faute de vivres, ni les renvoyer en Égypte, ni leur rendre une liberté dont ils auraient profité pour grossir le nombre des ennemis. La tuerie fut atroce. « Le 20 ventôse (10 mars) dans l'après-midi, raconte Miot, les prisonniers de Jaffa furent mis en mouvement au milieu d'un vaste bataillon carré formé par les troupes du général Bon. Un bruit sourd du sort qu'on leur préparait me détermina, ainsi que beaucoup d'autres personnes, à monter à cheval et à suivre cette colonne silencieuse de victimes, pour m'assurer si ce qu'on m'avait dit était fondé. Les Turcs, marchant pêle-mêle, prévoyaient déjà leur destinée ; ils ne versaient point de larmes ; ils ne poussaient point de cris : ils étaient résignés. Quelques-uns blessés, ne pouvant suivre aussi promptement, furent tués en route à coups de baïonnettes. Quelques autres circulaient dans la foule, et semblaient donner des avis salutaires sur un danger aussi imminent. Peut-être les plus hardis pensaient-ils qu'il ne leur était pas impossible d'enfoncer le bataillon qui les enveloppait ; peut-être espéraient-ils qu'en se disséminant dans les champs qu'ils traversaient, un certain nombre échapperait à la mort. Toutes les mesures avaient été prises à cet égard, et les Turcs ne firent aucune tentative d'évasion.

« Arrivés enfin dans les dunes de sable au sud-ouest de Jaffa, on les arrêta près d'une mare d'eau jaunâtre. Alors l'officier qui commandait les troupes fit diviser la masse par petites portions, et ces pelotons, conduits sur plusieurs points différents, y furent fusillés. Cette horrible opération demanda beaucoup de temps, malgré le nombre des troupes réservées pour ce funeste sacrifice, et qui, je dois le déclarer, ne se prêtaient qu'avec une extrême répugnance au ministère abominable qu'on exigeait de leurs bras victorieux. Il y avait près de la mare d'eau un groupe de prisonniers, parmi lesquels étaient quelques vieux chefs au regard noble et assuré, et un jeune homme dont le moral était fort ébranlé. Dans un âge si tendre, il devait se croire innocent, et ce sentiment le porta à une action qui parut choquer ceux qui l'entouraient. Il se précipita dans les jambes du cheval que montait le chef des troupes françaises ; il embrassa les genoux de cet officier, en implorant grâce de la vie. Il s'écriait : « De quoi suis-je coupable ? Quel mal ai-je fait ? » Les larmes qu'il versait, ses cris touchants, furent inutiles ; ils ne purent changer le fatal arrêt prononcé sur son sort. A l'exception de ce jeune homme, tous les autres Turcs firent avec calme leur ablution dans cette eau stagnante dont j'ai parlé, puis, se prenant la main, après l'avoir portée sur le cœur et la bouche, ainsi que se saluent les musulmans, ils donnaient et recevaient un éternel adieu. Leurs âmes courageuses paraissaient défier la mort ; on voyait dans leur tranquillité la confiance que leur inspiraient, à ces derniers moments, leur religion et l'espérance d'un avenir heureux. Ils semblaient se dire : « Je quitte ce monde pour aller jouir auprès de Mahomet d'un bonheur durable. » Ainsi ce bien-être après la vie que leur promet le Coran, soutenait le musulman vaincu, mais fier de son malheur.

« Je vis un vieillard respectable, dont le ton et les manières annonçaient un grade supérieur, je le vis… faire creuser froidement devant lui, dans le sable mouvant, un trou assez profond pour s'y enterrer vivant : sans doute il ne voulut mourir que par la main des siens. Il s'étendit sur le dos dans cette tombe tutélaire et douloureuse, et ses camarades en adressant à Dieu des prières suppliantes, le couvrirent bientôt de sable, et trépignèrent ensuite sur la terre qui lui servait de linceul, probablement dans l'idée d'avancer le terme de ses souffrances.

« Ce spectacle, qui fait palpiter mon cœur et que je peins encore trop faiblement, eut lieu pendant l'exécution des pelotons répartis dans les dunes. Enfin il ne restait plus de tous les prisonniers que ceux placés près de la mare d'eau. Nos soldats avaient épuisé leurs cartouches ; il fallut frapper ceux-ci à la baïonnette et à l'arme blanche. Je ne pus soutenir cette horrible vue ; je m'enfuis, pâle et prêt à défaillir. Quelques officiers me rapportèrent le soir que ces infortunés, cédant à ce mouvement irrésistible de la nature qui nous fait éviter le trépas, même quand nous n'avons plus l'espérance de lui échapper, s'élançaient les uns dessus les autres, et recevaient dans les membres les coups dirigés au cœur et qui devaient sur-le-champ terminer leur triste vie. Il se forma, puisqu'il faut le dire, une pyramide effroyable de morts et de mourants dégouttant de sang, et il fallut retirer les corps déjà expirés pour achever les malheureux qui, à l'abri de ce rempart affreux, épouvantable, n'avaient point encore été frappés. Ce tableau est exact et fidèle, et le souvenir fait trembler ma main qui n'en rend point toute l'horreur. »

Continuant sa route, Bonaparte progresse à travers la Palestine en la nettoyant des éléments ennemis. Arrivé devant Acre le 18 mars, il se résigne à lever le siège et à reprendre le chemin de l'Égypte le 20 mai. C'est un échec. Que s'est-il donc passé ?

Dans ses mémoires, Napoléon insiste sur les difficultés qu'il a rencontrées. Il veut qu'elles aient été immenses. Il les exagère. A l'entendre, Koutousof a été un adversaire moins redoutable que le farouche Djezzar-Pacha. Sir Sidney Smith valait au moins Wellington. Quant à Phélipeaux, son ancien camarade de l'Ecole militaire, avec lequel il échangeait des coups de pied sous la table, le détestant déjà et qui, émigré, avait pris du service chez les Turcs, il n'hésite pas à le représenter comme un artilleur de premier ordre.

Il est vrai que la défense de Saint-Jean-d'Acre fut beaucoup mieux menée que le siège. Impatience ou présomption, Bonaparte commit là des fautes dont le souvenir lui pesait et qui n'avaient pas échappé à ses subordonnés. Un mot, fort désagréable et que l'on attribue à Kléber circulait dans l'armée : « Nous attaquons à la turque une place défendue à l'européenne. »

Il semble bien, en effet, que Bonaparte ait eu à se reprocher des erreurs encore moins pardonnables pour lui que pour un autre. Il avait cru trop facile d'emporter Acre par surprise. Enfin, avec moins de coup d'œil qu'au siège de Toulon, il s'était acharné à battre en brèche un point par lequel l'assaut ne pouvait pas réussir. Il est même curieux de remarquer que, comme à Toulon, c'était le commandant de l'artillerie qui avait désigné au commandant en chef l'endroit où l'attaque devait être décisive. Mais, à Saint-Jean-d'Acre, ce nouveau capitaine

Bonaparte s'appelait Dommartin. Moins heureux, il ne fut pas écouté. Surtout, l'erreur de Bonaparte était d'assiéger, avec peu de munitions et à une distance considérable de sa base, une ville constamment ravitaillée par la flotte anglaise, maîtresse de la mer. La flottille qui portait la plus grande partie de son artillerie de siège était tombée aux mains des Anglais au moment où s'achevait l'investissement de la place, le 22 mars, et cette artillerie servit contre les Français. De tous ces mécomptes, qu'il pouvait prévoir, Bonaparte devait accuser non la mauvaise fortune mais ses calculs insuffisants.

Pour la première fois, le général en chef subissait un échec. Il avait fait tuer inutilement beaucoup de monde, pris des mesures qui étaient critiquées par ses subordonnés. Enfin il avait été obligé de battre en retraite. On comprend donc qu'il ait cherché à présenter le siège de Saint-Jean-d'Acre comme un événement d'une portée immense dont le succès eût changé le cours de l'histoire.

Peu à peu, des réminiscences de jeunesse aidant, il en vint à construire un vaste roman oriental autour de la bicoque qui l'avait arrêté, un peu comme si c'eût été le siège de Byzance ou le siège de Troie. Des anecdotes, celles du séjour à Nazareth et la traversée de la Terre Sainte, des épisodes brillants comme la bataille du Mont-Thabor ou la visite aux pestiférés de Jaffa, donnèrent à la campagne et à la retraite de Syrie un tour légendaire. Bref, d'un insuccès somme toute assez fâcheux pour sa réputation, Napoléon a fait un événement épique et grandiose.

La visite aux pestiférés, rendue illustre par le chef-d'œuvre de Gros, a été très diversement racontée. Bourrienne prétend que Bonaparte n'a pas touché un seul malade. De son côté, le duc de Rovigo déclare que, pour remonter les courages, le général pressa de sa main la plaie d'un pestiféré. Tenons-nous en au témoignage du médecin Desgenettes, qui accompagnait Bonaparte :

« Le général en chef, suivi de son état-major, vint visiter les hôpitaux. Un moment avant son départ du camp, le bruit s'était répandu jusque dans sa tente que plusieurs militaires étaient tombés morts, se promenant sur le quai. Le fait est simplement que des officiers turcs, chargés de jeter à la mer des hommes morts dans la nuit à l'hôpital, s'étaient contentés de les déposer devant la porte de cet établissement. Le général parcourut les deux hôpitaux, parla à presque tous les militaires, et s'occupa plus d'une heure et demie de tous les détails d'organisation ; se trouvant dans une chambre étroite et très encombrée, il aida à soulever le cadavre hideux d'un soldat dont les habits étaient souillés par l'ouverture d'un bubon abcédé. Après avoir essayé sans affectation de reconduire le général en chef vers la porte, je lui fis entendre qu'un plus long séjour devenait beaucoup plus qu'inutile. Cette conduite n'a pas empêché que l'on ait souvent murmuré dans l'armée sur ce que je ne m'étais pas opposé plus formellement à la visite si prolongée du général en chef ; ceux-là le connaissent bien peu, qui croient qu'il est des moyens faciles pour changer ses résolutions, ou l'intimider par quelques dangers. »

Il est plus que douteux que, s'il s'était emparé de Saint-Jean-d'Acre, Bonaparte fut allé plus loin, non moins douteux qu'il ait jamais eu l'idée fabuleuse d'atteindre l'Indus. Il avait de fortes raisons de s'en tenir là et ces raisons interdisent bien davantage de penser que, par la prise de cette ville, le sort de l'Orient eût été changé. Le lieutenant-colonel Richardot (*Nouveaux Mémoires sur l'armée française en Égypte et en Syrie ou la vérité mise à jour*), écrit judicieusement :

« Ce n'est là qu'un vain propos, une utopie dans toute la force du terme. En effet, maître de Saint-Jean-d'Acre, le général Bonaparte ne pouvait pas étendre sa conquête en Syrie sans négliger l'Égypte, sans s'exposer à perdre cette belle et importante possession. Il marchait immédiatement, a-t-on dit, sur Constantinople ? Erreur : il n'aurait pu le faire qu'en se faisant suivre de la plus grande partie de ses forces. Par conséquent, il abandonnait de fait une conquête fructueuse et facile à garder pour une conquête incertaine et qu'il n'aurait pu conserver ; car il n'était pas et ne pouvait pas être maître de la mer puisque notre flotte venait d'être détruite. Sans la mer il n'aurait pu avoir Constantinople. » Cette longue marche à travers l'Asie mineure eût été une folie. Jomini, de son côté, dit brutalement : « L'absurdité d'un tel projet est trop palpable pour mériter d'être discutée. »

Si Bonaparte n'avait été contraint de lever le siège, il paraît bien que son projet, fort raisonnable, était d'installer à Acre le chef des Druzes, Daher, son allié, afin d'avoir un poste avancé contre les Turcs, à peu près comme, de nos jours, les Anglais ont établi un royaume en Transjordanie.

Il est surtout vrai, et il ne semble pas qu'on y ait assez pensé, que le général en chef n'eût pu étendre ses conquêtes en Asie mineure sans s'exposer à perdre l'Égypte. En premier lieu, son absence n'avait pas été favorable à l'occupation. Le *Journal d'un habitant du Caire*, écho de l'opinion populaire, avait, au moment du départ, répété avec Cheikh Hassan le vendeur d'épices : « Les Français perdent leur argent dans notre Égypte entre les ânes et les taverniers ; bientôt ils trouveront la mort en Syrie et ils perdront le vie. »

Les souffrances des soldats pendant leur marche dans le désert furent en effet effroyables. « Une soif dévorante, le manque total d'eau, une chaleur excessive, une marche fatigante dans des dunes brûlantes, démoralisèrent les hommes et firent succéder à tous les sentiments généreux, le plus cruel égoïsme, la plus affligeante indifférence. J'ai vu jeter, de dessus des brancards, des officiers amputés dont le transport était ordonné, et qui avaient même remis de l'argent pour récompenser de la fatigue. J'ai vu abandonner dans les orges des amputés, des blessés, des pestiférés, soupçonnés seulement de l'être. La marche était éclairée par des torches allumées pour incendier les petites villes, les bourgades, les villages, les hameaux, les riches moissons dont la terre était couverte. Le pays était tout en feu. Ceux qui avaient l'ordre de présider à ces désastres semblaient, en répandant partout le désolation, vouloir venger leurs revers et trouver un soulagement à leurs souffrances. Nous n'étions entourés que de mourants, de pillards et d'incendiaires ; des mourants jetés sur le bord du chemin, disaient d'une voix faible, *je ne suis pas pestiféré, je ne suis que blessé*, et pour convaincre les passants, on en voyait rouvrir leur blessure ou s'en faire une nouvelle. Personne n'y croyait ; on disait : *son affaire est faite* ; on passait, on se tâtait, et tout était oublié. Le soleil, dans tout son éclat sous ce beau ciel, était obscurci par la fumée de nos continuels incendies. Nous avions la mer à notre droite ; à notre gauche et derrière nous le désert que nous faisions ; devant nous, les privations et les souffrances qui nous attendaient, telle était notre position véritable.

« Nous arrivâmes à Tentoura le 20 mai : il faisait ce jour-là une chaleur étouffante, qui produisait un découragement général. Nous n'avions, pour nous reposer, que des sables arides et brûlants ; à notre droite une mer ennemie et déserte. Nos pertes en blessés et en malades étaient déjà considérables, depuis que nous avions quitté Acre. L'avenir n'avait rien de riant. Cet état véritablement affligeant, dans lequel se trouvaient les débris du corps d'armée qu'on a appelé *triomphant*, fit sur le général en chef une impression qu'il était impossible qu'il ne produisit pas. A peine arrivé à Tentoura, il fit dresser sa tente ; il m'appela et me dicta, avec une préoccupation, suite inévitable de notre position, un ordre pour que tout le monde allât à pied, et que l'on donnât tous les chevaux, mulets et chameaux, aux blessés, aux malades et aux pestiférés qui avaient été emmenés, et qui manifestaient encore quelques signes de vie. « *Portez cela à Berthier !* » L'ordre fut expédié sur-le-champ. A peine fus-je de retour dans la tente, que Vigogne père, écuyer du général en chef, y entra, et portant la main à son chapeau : « *Général, quel cheval vous réservez-vous ?* » Dans le premier mouvement de colère qu'excite cette question, le général en chef appliqua un grand coup de cravache sur la figure de l'écuyer, et puis il ajouta d'une voix terrible : « *Que tout le monde aille à pied, f...e ! moi le premier ; ne connaissez-vous pas l'ordre ? Sortez !* »

« Ce fut alors à qui ne donnerait pas son cheval pour les malades que l'on croyait attaqués de la peste. On s'informait avec soin du genre de la maladie ; quant aux blessés et aux amputés, l'on ne faisait pas la moindre difficulté. J'avais un très bon cheval pour moi, une mule et deux chameaux ; je donnai le tout avec le plus grand

plaisir ; mais j'avoue que je recommandai à mon domestique de faire tout son possible pour ne pas avoir un
pestiféré sur mon cheval. Il me fut rendu au bout de très
peu de temps. La même chose arriva à beaucoup d'autres.
On devine bien la raison. » (Bourrienne.)

Le 5 mai 1799, le général Dugua avait mandé qu'il
était temps que le siège d'Acre finît, qu'une fermentation
se manifestait, que des postes et des convois avaient été
attaqués, que l'impôt était mal payé, qu'un prophète, un
« Mahdi », avait paru et annonçait l'expulsion prochaine
des Français. La rentrée de Bonaparte au Caire retourna
l'opinion publique. Elle eut lieu le 14 juin « au milieu
d'un peuple immense » qui l'acclamait.

D'après les mémoires dictés par Napoléon lui-même,
l'accueil fut triomphal. « Les députations des corps de
métiers et de ceux des marchands avaient préparé des
présents magnifiques qu'ils offrirent au sultan Kébir [1].
C'étaient de belles juments superbement harnachées, de
beaux esclaves noirs ou de belles négresses, de beaux
Géorgiens ou de belles Géorgiennes et jusqu'à de riches
tapis de laine et de soie, des châles de cachemire, des
caftans, du café moka le plus précieux, des pipes de
Perse, des cassettes pleines d'encens et d'aromates. Les
Français qui étaient au Caire avaient de leur côté fait
préparer en plein champ un festin pour fêter l'arrivée de
leurs camarades ; ils s'embrassèrent et on passa plusieurs
heures à boire. Tant de bruits avaient couru sur les
désastres de l'armée en Syrie que, quoique la division
Kléber manquât, puisqu'elle s'était rendue directement

---

1. Bonaparte.

sur Damiette, on fut étonné de voir l'armée si nombreuse et si peu affaiblie. Il y avait là, présents sous les armes, huit mille hommes. Les Français de retour de Syrie éprouvèrent à la vue du Caire la même satisfaction qu'ils auraient éprouvée à la vue de leur patrie. Les habitants qui avaient la conscience de s'être bien comportés pendant l'absence de l'armée se livrèrent à la joie durant plusieurs jours, pour célébrer cet heureux retour. Le général en chef entra dans la ville par la porte des Victoires, précédé des chefs de milice, des corporations, des quatre muphtis et des oulémas de Gama-el-Azhar. »

Bonaparte envoya aussitôt au divan des oulémas une proclamation avec ordre de la traduire en arabe et de l'afficher en leur nom. La campagne de Syrie y était dépeinte sous les couleurs les plus brillantes, sinon les plus exactes. Bonaparte « n'a pas laissé à Acre pierre sur pierre et en a fait un tas de décombres, au point que l'on se demande s'il a existé une ville en ce lieu »... La proclamation engage les Égyptiens à rester soumis aux Français ; elle présente Bonaparte comme un ami et bientôt un fidèle de la religion musulmane : « Il a fait connaître aux membres du divan qu'il aime les Musulmans, qu'il chérit le Prophète auquel s'adresse la salut, qu'il s'instruit dans le Coran, qu'il le lit tous les jours avec attention... Nous savons qu'il est dans l'intention de bâtir une mosquée qui n'aura pas d'égale au monde et d'embrasser la religion musulmane. »

Le général en chef avait ses raisons de tenir un pareil langage qui dépassait tout ce qu'il avait dit jusque-là. Et il rentrait à point. Un mois plus tard, le 25 juillet, il *1799* fallait jeter à la mer 18 000 Turcs débarqués dans la presqu'île d'Aboukir sous la protection de la flotte anglaise.

Cette victoire brillante effaçait presque le souvenir de la défaite maritime qui portait le même nom.

Mais Bonaparte avait dû accourir avec les divisions Lannes et Rampon et la cavalerie de Murat, ce qu'il avait de meilleur. Comprenant le danger, il avait ordonné à Desaix d'évacuer la Haute-Égypte. La victoire fut complète. Napoléon lui-même en a retracé les plus poignants épisodes : « Lorsque les obus et les boulets des pièces d'artillerie légère qui étaient attachées aux colonnes de cavalerie commencèrent à frapper les ennemis par derrière, ils craignirent pour leur retraite et perdirent contenance. Les généraux Lannes et Destaing saisirent l'à-propos, gravirent les deux hauteurs au pas de charge ; les Turcs dégringolèrent en descendant dans la plaine, la cavalerie les y attendait ; ne pouvant opérer leur retraite, ils furent acculés à la mer. Poursuivis par la mitraille et la fusillade, chargés par la cavalerie, ces fuyards bravèrent les flots. Ils furent engloutis. Le centre de la première ligne turque marche alors en avant pour secourir les ailes ; ce mouvement était imprudent. Murat commanda par escadron à droite et à gauche et l'enveloppa. L'infanterie de Lanusse découverte par le mouvement de notre cavalerie marcha au pas de charge en colonne par bataillon, à distance de déploiement. Le désordre se mit dans ce centre pressé entre la cavalerie et l'infanterie. Ne pouvant plus opérer leur retraite, les Turcs n'ont d'autre ressource que de se jeter à la mer, s'échappant par la droite et par la gauche. Ils ont le même sort que les premiers, ils disparaissent engloutis. On n'aperçut bientôt sur les flots que plusieurs milliers de turbans et de châles que la mer jeta sur le rivage ; c'était tout ce qui restait de ces braves janissaires, car ils méritaient ce nom de braves ! Mais que peut l'infanterie sans ordre, sans discipline, sans tactique ? La bataille était commencée depuis une heure et huit mille hommes avaient disparu : cinq mille quatre cents étaient noyés, quatorze cents étaient morts ou blessés sur le champ de bataille, douze cents s'étaient rendus prisonniers : dix-huit pièces de canon, trente caissons, cinquante drapeaux étaient entre les mains du vainqueur. »

Le général Dugua avait eu raison de dire qu'il était temps que l'armée revînt de Syrie. Que fût-il arrivé si, au moment du débarquement des Turcs, Bonaparte, avec le plus gros de ses forces, eût été à Damas et à Alep ou même plus loin, comme, plus tard, il se flattait de l'avoir « espéré » ? Au lieu de changer la face de l'Orient, il eût perdu l'Égypte. Désormais il eût été sans retraite possible, et lui-même, son expédition et sa fortune avortaient misérablement.

Chapitre VII

Le général « Bonatrape »

Ce n'était pourtant pas sans crève-cœur qu'après deux mois d'efforts inutiles, Bonaparte avait levé le siège de Saint-Jean-d'Acre. La preuve que l'expédition d'Égypte n'était pas pour lui une diversion, une affaire à côté en attendant mieux, mais une entreprise importante par elle-même et capable de vastes développements, c'est le souvenir irrité que lui laissa l'échec de sa campagne de Syrie, après lequel, il le sentait bien, sa conquête du Nil devenait précaire. « Mes projets comme mes songes, tout, oui, l'Angleterre a tout détruit », disait-il plus tard. Il y pensait encore à Sainte-Hélène. On eût dit qu'il avait manqué là sa vie.

Et pourtant cette campagne de Syrie, admirablement mise en scène, tournait encore au bien de sa légende. En Terre Sainte, il avait quitté son déguisement islamique. Il avait repris la figure d'un chrétien, presque d'un croisé. Il avait montré de l'émotion à Nazareth, comme ses soldats républicains, à qui des cantiques remontaient du cœur en passant par les lieux sacrés de la Palestine. Et les épisodes atroces, les scènes d'horreur, qui abondèrent subirent le coup de pouce de l'artiste qui les transfigura pour l'imagerie populaire. L'échec d'Acre lui-même prenait une allure épique. Cependant, de même qu'il abandonnera silencieusement la Grande Armée après la retraite de Russie et la Bérézina, Bonaparte ne tardera plus à quitter l'Égypte, affaire devenue désormais sans intérêt pour lui. Il voyait distinctement qu'elle ne pouvait plus avoir d'autre issue qu'une capitulation à une date plus ou moins éloignée.

Selon un récit souvent répété mais très suspect, c'est au cours de la nuit qui suivit sa victoire sur les Anglais et les Turcs que le général en chef aurait pris la résolution de rentrer en France. Il est exact que, des pourparlers ayant été engagés à la suite de la grâce qui avait été accordée aux Anglais assiégés dans le port d'Aboukir, Sidney Smith avait fait remettre, pour Bonaparte revenu à Alexandrie, un paquet de journaux d'Europe. Ils lui furent apportés par son secrétaire Bourrienne qui, d'après la légende, l'aurait réveillé.

Voici comment Bourrienne lui-même raconte la scène : « L'amiral anglais remit au parlementaire quelques *douceurs* en échange de ce que nous avions envoyé, et la *Gazette française* de Francfort du 10 juin 1799. Depuis dix mois nous étions sans nouvelles de France. Bonaparte parcourut ce journal avec un empressement facile à concevoir. « *Eh bien,* me dit-il, *mon pressentiment ne m'a pas trompé ; l'Italie est perdue !!! Les misérables ! tout le fruit de nos victoires a disparu ! Il faut que je parte.* » Il fait appeler Berthier ; il lui fait lire les nouvelles, lui dit que les affaires vont mal en France, qu'il veut aller voir ce qui s'y passe ; qu'il viendra avec lui ; que, pour le moment, il n'y aura que lui, moi, Berthier et Gantheaume, qu'il a mandé, dans le secret ; il lui recommande de le bien garder, de ne pas témoigner de joie extraordinaire ; de ne rien changer à ses habitudes, de ne rien acheter et de ne rien vendre. Il termine par lui dire qu'il compte sur lui. « *Je suis sûr de moi, je suis sûr de Bourrienne.* » Berthier promit de se taire et tint parole : il avait assez de l'Égypte ; il brûlait du désir de retourner en France et devait craindre que son indiscrétion ne perdit tout.

« Gantheaume arrive : Bonaparte lui donne l'ordre de préparer les deux frégates *La Muiron, Le Carrère,* et deux petits bâtiments, *La Revanche* et *La Fortune,* avec des vivres pour quatre ou cinq cents hommes, et pour deux mois. Il lui recommande le secret sur le but de l'armement qu'il lui confie, et d'agir avec assez de prudence pour que la croisière anglaise n'ait aucune connaissance de cet armement. Il arrêta, plus tard, avec Gantheaume, la route qu'il fallait suivre. Il pensait à tout. »

A la vérité, il ne semble pas que Bonaparte se soit décidé aussi rapidement à rentrer en France. Si les communications avec l'extérieur étaient difficiles en raison du blocus qu'exerçait la flotte anglaise, les nouvelles, pour être rares, ne manquaient pas entièrement. Il en venait par des négociants levantins. Au moment où Bonaparte avait quitté Le Caire pour la Syrie, il savait déjà que la guerre était sur le point de recommencer avec l'Autriche. Devant Acre même, à son retour du Mont-Thabor, il avait trouvé un courrier de France débarqué à Alexandrie. Il connaissait ainsi l'état alarmant des opérations militaires sur le front italien. Dès ce moment, le bruit courut les états-majors que les événements d'Europe rappelaient le général en chef. Des indices sérieux permettent même de croire que, depuis le mois de février, Bonaparte songeait à regagner Paris, ce qui renforce cette présomption que, loin d'aller chercher en Syrie de nouvelles conquêtes, il se proposait de couvrir l'Égypte et de pourvoir à la sûreté de l'expédition afin qu'on ne pût lui reprocher de l'abandonner en plein péril. La victoire d'Aboukir achevait de le disculper à cet égard puisqu'il ne quittait l'Égypte qu'après l'avoir mise à l'abri autant qu'il était possible et brisé la puissante attaque des Anglais et des Turcs.

Un mois plus tard seulement, il s'embarquait à bord de la frégate *La Muiron* accompagnée de *La Carrère*, seuls restes, ou à peu près, de la flotte qui l'avait amené. Avec lui partaient, parmi les généraux, Berthier, Lannes, Murat, Andréossy, Marmont, et, parmi les savants, Monge et Berthollet. Il paraît difficile d'admettre que les préparatifs d'un semblable exode, sans compter ceux auxquels dut se livrer Gantheaume pour faire sortir les frégates d'Alexandrie, aient pu passer inaperçus. On se doutait que le général en chef ne resterait plus longtemps en Égypte. Lorsqu'il fit savoir qu'il s'absentait du Caire pour visiter le Delta, il trouva peu de dupes, au moins parmi les officiers. Tout ce qu'on peut dire, c'est que le secret fut assez bien gardé et l'embarquement assez rapide (au point que les chevaux qui avaient amené Bonaparte et son escorte furent abandonnés, tout sellés, sur la plage du Marabout), pour que les Anglais n'en fussent pas informés.

Le général Merlin, aide de camp de Bonaparte en Égypte, a raconté les circonstances de ce départ clandestin : « Quoique nous fussions depuis une demi-heure sur le rivage, les chaloupes n'arrivaient pas, et au risque de donner l'éveil à la ville, on fut obligé de brûler des amorces pour les avertir de notre arrivée et leur indiquer l'endroit où nous étions à les attendre. Elles répondirent, à la fin, à ce signal sans lequel on ne nous eût trouvés qu'avec beaucoup de temps et de difficultés, tant la nuit était noire. Les chaloupes arrivées, chacun, sans distinction de rang ni de grade, s'empressa d'embarquer et se mit pour cela de l'eau jusqu'aux genoux, tant l'impatience était grande, et tant on craignait d'être laissé en arrière. C'était à qui entrerait le premier dans les embarcations et on se poussait pour y arriver avec assez peu de ménagement et de considération. Il en résulta, dans le moment, entre les officiers de l'état-major quelques querelles qui furent oubliées dès qu'on fut arrivé à bord des frégates.

« Les frégates *La Muiron* et *La Carrère*, destinées à transporter le général Bonaparte, son état-major et les officiers généraux qu'il menait avec lui, étaient mouillées en dehors de la passe du Pont-Neuf, à demi-portée de canon du Pharillon. Le général Bonaparte arriva à neuf heures à bord de *La Muiron*. Il faisait un calme plat et on se mit à table en arrivant, en formant des vœux pour obtenir promptement un peu de vent pour appareiller. On désirait pouvoir, avant le jour, se trouver hors de vue de la terre, tant par la crainte de la croisière anglaise qui pouvait reparaître d'un moment à l'autre, qu'à cause de la garnison d'Alexandrie dont on craignait le mécontentement à la nouvelle de l'embarquement de Bonaparte.

« Le lendemain, 7 fructidor an VII (24 août 1799), au lever du soleil, le même calme plat régnait encore et, pendant plus de trois heures, nous pûmes distinguer la foule qui s'était portée sur les avancées du Port-Neuf pour nous examiner. Aucun symptôme de mécontentement ne se manifesta, aucun mouvement n'eut lieu pour s'opposer au départ du général en chef.

« Vers neuf heures du matin, il s'éleva une légère brise de terre dont on se hâta de profiter pour mettre à la voile. Au bout d'une heure, cette brise fraîchit un peu et, à midi, nous avions perdu de vue les côtes d'Égypte. »

Bonaparte n'était resté en Égypte que quatorze mois, dont quatre remplis par la campagne de Syrie, et ce peu de temps lui avait suffi pour y laisser des traces durables. Ce chapitre de sa vie était clos.

Il laissait l'armée à sa conquête désormais sans espoir. C'était une défection. Il sut encore lui donner un caractère épique par un retour romanesque et téméraire. Pour les Français, ceux qu'il délaisse et ceux qu'il va retrouver, il faut que ce départ devienne honorable, sinon glorieux. C'est à quoi pourvoiront quelques proclamations éloquentes qui n'empêcheront ni le blâme amer et hautain de Kléber, ni la raillerie du soldat qui voit filer le général « Bonatrape ». Enfin il faut que la fortune soit encore assez complaisante pour que la frégate *La Muiron* et les trois bâtiments qui l'accompagnent échappent pendant cette longue traversée à la surveillance des Anglais. Ici encore ce que ce retour tranquillement hardi a de fantastique, d'inespéré, d'incroyable, efface tout ce qui est froissé par l'abandon des compagnons d'armes que leur chef livre au sable d'Égypte. Cette navigation hasardeuse au long de la Méditerranée sillonnée de voiles anglaises, d'ennemis avides d'une si brillante capture, c'est le bonheur insolent, qui étonne, qui en impose et qui fait crier au décret du destin.

Il rentre. Est-ce dans la pensée de s'emparer du pouvoir ? Mais ce n'est qu'une fois débarqué en France

qu'il connaîtra le véritable état du pays, qu'il sera informé
des chances qui s'offrent maintenant pour un coup
d'État. Qu'au Luxembourg un des Directeurs au moins
pense à un soldat pour sauver la Révolution et la
République, il le saura seulement en approchant de Paris.
S'il ignore, la dépêche ne lui étant pas parvenue, que le
Directoire l'a déjà rappelé, du moins pressent-il qu'on a
besoin de lui pour rétablir la situation militaire et que,
là, le grand premier rôle l'attend. Le reste il l'obtiendra
peut-être. C'est le secret de l'avenir et des circonstances.
Quant à l'Égypte, il lui a donné beaucoup. Il en emporte,
pour sa gloire, tous les avantages qu'en partant de Toulon
il pouvait espérer. Dans ce proconsulat d'Orient, il a pris
en lui-même plus de confiance encore que dans le proconsulat d'Italie. Il a déjà gouverné deux pays. Gouverner
la France, à trente ans, est une idée qui ne l'effraie pas.
La « grande ambition » lui est venue.

Bonaparte risquait de ne pas rentrer du tout. Il risquait
aussi de rentrer trop tard. Et Sieyès, au Luxembourg,
méditant un coup d'État, « cherchant une épée », ne pensait pas à Bonaparte aventuré au loin. Il pensait à Joubert.

Il advint que Joubert, choyé, marié même par les
hommes qui sentaient le besoin d'un soldat pour sauver
et consolider la République, envoyé par eux sur le théâtre
où l'autre avait conquis la gloire, fut tué à Novi. Sa mort,
le 12 août, avait jeté ses protecteurs dans le désarroi
quand, sept semaines plus tard, Bonaparte parut. Lui,
tout l'épargnait, la peste comme les balles. Joubert
après Hoche, il n'y avait plus personne à lui préférer ni à
lui opposer, parmi les militaires républicains. S'il avait
d'autres supériorités sur ces rivaux, il avait la principale,
celle d'être en vie.

91

Il revenait en outre nimbé de prestige oriental. Tout le servait. Monarque au Caire, le général Bonaparte pouvait être Premier Consul et empereur à Paris. Despote éclairé et réformateur, il peut être à son aise partout, aussi bien sur le trône de Louis XIV, qu'il l'était, sultan, aux confins de l'Afrique et de l'Asie.

Est-il le même homme qu'au moment où il a quitté la France ? Non. L'Orient l'a changé, étrangement mûri. L'Égypte, dans la carrière du général, c'est *Atala* dans la carrière de Chateaubriand. C'est sa part de littérature exotique. Il emporte, des bords du Nil, avec des originalités frappantes pour les badauds de Paris, avec le sabre turc attaché à sa redingote et le mamelouk Roustan, des tournures de phrase et de pensée, un élément décoratif qui se plaquera sur sa légende comme les sphinx aux tables et aux fauteuils du style Empire.

Dans le fond de son cœur, il emporte autre chose, le mépris de l'humanité, une amertume qu'il exhalera sans cesse et qui ira croissant. Qu'on lui parle moins que jamais de la bonté naturelle de l'homme. Ce n'est pas le principe sur lequel il fonde son système de gouvernement. Il s'est fait une philosophie et elle est âpre. « Je suis surtout dégoûté de Rousseau depuis que j'ai vu l'Orient, disait-il ; l'homme sauvage est un chien. » Comment appellera-t-il la femme civilisée qui n'a ni loyauté ni foi ? Il y a de l'amertume dans cette parole. En Égypte, Bonaparte a appris que Joséphine l'avait trompé, qu'elle le trompait sans doute encore, qu'elle avait rendu ridicule, à Paris, le héros qui, naguère, marchait à la conquête de l'Italie en marquant chacune de ses victoires d'une lettre d'amour.

Comment, par qui la certitude d'une trahison lui fut-elle donnée ? Frédéric Masson, sans beaucoup de preuves, à ce qu'il semble, prétend que Bonaparte ayant déjà des doutes, avait interrogé, soit pendant la traversée, soit au Caire, quelques compagnons de l'armée d'Italie. On voit mal lequel aurait eu le courage de dire au général en chef qu'il était Sganarelle. D'après Bourrienne, ce fut Junot. « Pendant que nous étions près des fontaines de Messoudia'h, sous El-A'rych, je vis un jour Bonaparte se promener seul avec Junot, comme cela lui arrivait assez souvent. J'étais à peu de distance, et je ne sais pourquoi mes yeux étaient fixés sur lui durant cette conversation. La figure toujours très pâle du général était devenue, sans que j'en pusse deviner la cause, plus pâle encore que de coutume. Il y avait quelque chose de convulsif dans sa figure, d'égaré dans son regard, et plusieurs fois il se frappa la tête. Après un quart d'heure de conversation, il quitta Junot et revint vers moi. Je ne lui avais jamais vu l'air aussi mécontent, aussi préoccupé. Je m'avançai à sa rencontre, et dès que nous fûmes rejoints : « *Vous ne m'êtes point attaché*, me dit-il d'un ton brusque et sévère. *Les femmes !... Joséphine !... Si vous m'étiez attaché, vous m'auriez informé de tout ce que je viens d'apprendre par Junot : voilà un véritable ami. Joséphine !... et je suis à six cents lieues... vous deviez me le dire ! Joséphine !... m'avoir ainsi trompé !... elle !... malheur à eux ! J'exterminerai cette race de freluquets et de blondins !... Quant à elle... le divorce !... oui, le divorce ! un divorce public, éclatant !... il faut que j'écrive !... je sais tout !... c'est votre faute ! vous deviez me le dire !...* » Ces exclamations vives et entre-coupées, sa figure décomposée, sa voix altérée, ne m'éclairèrent que trop sur le sujet de conversation qu'il venait d'avoir avec Junot ; je vis que Junot s'était laissé entraîné, auprès de son général, à de coupables indiscrétions, et que, s'il y avait réellement des torts à reprocher à Mme Bonaparte, il les avait cruellement exagérés. Ma situation était extrêmement délicate ; toutefois j'eus le bonheur de conserver mon sang-froid, et dès qu'un peu plus de calme eut succédé à ce premier emportement, je lui répondis d'abord que je ne savais rien de pareil à ce que Junot avait pu lui dire ; que quand même de semblables bruits, souvent produits par la calomnie, seraient venus jusqu'à moi, si j'avais regardé comme un devoir de l'en informer, je n'aurais certainement pas choisi pour cela le moment où il était à six cents lieues de la France... Je lui parlai de sa gloire : « *Ma gloire ! s'écriat-il, eh ! je ne sais ce que je donnerais pour ce que Junot m'a dit ne fût pas vrai, tant j'aime cette femme !... Si Joséphine est coupable, il faut que le divorce m'en sépare à jamais !... Je ne veux pas être la risée de tous les inutiles de Paris. Je vais écrire à Joseph ; il fera prononcer le divorce.* »

« Quoiqu'il fût encore très animé, il le devenait cependant un peu moins. Je saisis un moment de repos pour combattre cette idée de divorce qui semblait le dominer. Je lui représentais surtout combien, sur une révélation probablement fausse, il serait imprudent d'écrire à son frère. « La lettre peut être interceptée, lui dis-je, elle se ressentira du moment d'irritation qui l'aura dictée ; quant au divorce, il sera temps d'y penser plus tard, mais avec réflexion. » Ces dernières paroles produisirent sur lui l'effet que je n'osais en espérer si promptement ; il redevint tout à fait calme et m'écouta comme s'il eût senti le besoin d'aller lui-même au-devant de paroles consolantes, et après cet entretien il ne me reparla plus de ce qui en avait été l'objet.

Cette histoire, où Bourrienne se donne le beau rôle, est-elle entièrement exacte ? Cela n'est pas prouvé. Quoi qu'il en soit, Bonaparte en mer, avait écrit à sa femme de venir le rejoindre. Deux mois plus tard, un peu après la bataille des Pyramides, il envoyait à son frère Joseph la lettre célèbre où il manifeste sa volonté de ne plus revoir l'infidèle :

« Je peux être en France dans deux mois ; je te recommande mes intérêts. J'ai beaucoup de chagrin domestique, car le voile est entièrement déchiré. Toi seul me restes sur la terre, ton amitié m'est bien chère ; il ne me reste plus, pour devenir misanthrope qu'à la perdre et te voir me trahir. C'est une triste position que d'avoir à la fois tous les sentiments pour une même personne dans un même cœur... tu m'entends. Fais en sorte que j'aie une campagne à mon arrivée, soit près de Paris, ou en Bourgogne. Je compte y passer l'hiver et m'y enfermer. Je suis ennuyé de la nature humaine ! J'ai besoin de solitude et d'isolement. Les grandeurs m'ennuient, le sentiment est desséché, la gloire est fade. A vingt-neuf ans, j'ai tout épuisé, il ne me reste plus qu'à devenir bien franchement égoïste ! Je compte garder ma maison. Jamais je ne la donnerai à qui que ce soit. Je n'ai plus de quoi vivre. Adieu, mon unique ami, je n'ai jamais été injuste envers toi ; tu me dois cette justice malgré le désir de mon cœur de l'être... tu m'entends ! Embrasse ta femme, Jérôme. »

C'est du désenchantement. Ce n'est pas du désespoir. Bonaparte est revenu de tout. Il découvre en même temps le désert de l'amour et le désert de la gloire. D'Égypte il reviendra misanthrope, trait de caractère qui se creusera encore avec les années.

La trahison de Joséphine le fait souffrir dans son cœur et dans son orgueil. Elle le délivre du sentiment. L'Égypte aidant le voici qui, de sultan, devient un peu pacha. Jusqu'à sa rencontre avec la citoyenne Beauharnais, à peine avait-il pensé aux femmes. En Italie, amoureux de sa créole, il avait dédaigné les beautés qui s'offraient à lui. Maintenant il prend une maîtresse, la première.

C'était la femme d'un lieutenant de chasseurs à cheval. Pauline Fourès, qui avait voulu suivre son mari, s'était embarquée sous un déguisement. Mieux eût valu pour son ménage qu'elle fût restée en France. Bonaparte la remarqua. Elle était jolie, peu farouche. On doit même dire que, fort connue sous le nom de Bellilote, elle comptait beaucoup d'adorateurs.

Elle ne résista pas du tout. Le mari gênait. Il fut renvoyé en France avec une mission « spéciale ». Par malheur il fut pris par les Anglais qui, mis au courant de sa situation conjugale, le ramenèrent en Égypte pour jouer un tour au général en chef. La liaison était déjà connue et affichée : le lieutenant obtint le divorce. Il semble d'ailleurs que Bonaparte dont la jeunesse avait été chaste et dont le cœur restait ardent ait été épris de Bellilote plus qu'il ne se l'avouait. Un moment, il songea même à l'épouser. Sa réconciliation avec Joséphine lui fit oublier cette passade. Pauline Fourès vécut jusqu'en 1869. Que d'années elle eut à revivre son roman ! Ces existences font rêver. Qu'a pu être la fin de ce M. Charles, avec qui, de son côté, s'était affichée Joséphine et qui pouvait dire : « J'ai été préféré à l'Empereur ! »

A bord de *La Muiron*, Bonaparte ne pensait ni à Joséphine ni à Bellilote. Il confiait aux flots sa destinée. Jamais il n'a joué avec autant d'audace. Au retour de l'île

d'Elbe, il n'avait plus rien à perdre. Au retour d'Égypte
le risque était immense. Qu'il fût pris par les Anglais et
peut-être finirait-il sa carrière prisonnier, en tout cas
l'occasion qu'il avait entrevue lui échappait. Du 24 août
au 9 octobre 1799, la flottille qui portait César ne fut
pas trahie par la fortune. Bonaparte avait d'ailleurs, de
son coup d'œil toujours sûr, choisi le chemin le moins
dangereux, celui qui longeait le littoral africain. Il avait,
selon son habitude, mis toutes les chances de son côté.
Auprès du cap Bon on faillit donner dans une patrouille
de navires ennemis. Le combat eût été trop inégal.
Bonaparte considéra froidement que la seule ressource
était de faire sauter *La Muiron*. Comme à l'aller, où l'on
avait échappé à Nelson, l'étoile du général le servit encore.
Les Anglais s'éloignèrent. On passa.

Durant les jours de cette aventureuse traversée,
Bonaparte, toujours pareil au César de Plutarque, rassu-
rait ses compagnons. Ceux qui s'étaient embarqués avec
lui, c'étaient Berthier, Duroc, Eugène de Beauharnais. Sur
La Carrère suivaient Lannes, Murat, Marmont. Quelle
prise pour un amiral de la marine britannique ! Presque
tout le futur Empire eût été ramassé dans un coup de
filet. Le général en chef affectait de ne montrer aucune
inquiétude. S'il ressentait du trouble, il ne le laissait pas
paraître. Et il tenait des propos élevés, s'entretenait de
politique, d'histoire, de philosophie tandis que Monge
tenait un recueil de ces conversations.

Rien, jusque dans les détails, n'a jamais manqué à sa
vie pour en faire une *Iliade* et une *Odyssée*. Où les vents le
portent-ils ? Vers son île natale. Pour la dernière fois il
revoit Ajaccio et la Corse. C'est Ulysse à Ithaque et il ne
manque même pas la nourrice, la vieille Camilla Ilari qui

vient en pleurant l'embrasser. Là il reçoit des nouvelles du continent. Il apprend que l'invasion a été repoussée. Masséna a battu Souvarof à Zurich. Brune a eu le bonheur de battre les Anglais et les Russes débarqués en Hollande. Bonaparte bout d'impatience. Brune et Masséna ne vont rien lui laisser à faire. Il eut là quelques jours où il douta de son avenir. Il avait abandonné l'Égypte parce que l'expédition était devenue sans issue. Que la France obtint la paix, il se trouvait sans emploi. Derrière lui, devant lui, tout semblait fermé.

Par surcroît de malheur, les vents contraires le forcèrent à rester quelques jours à Ajaccio : « On concevra aisément, raconte Bourrienne, combien il fut impatienté de ce retard. Il manifesta quelquefois son impatience, comme si les éléments eussent dû lui obéir aussi bien que les hommes. Il perdait du temps et le temps était précieux pour lui. Mais au milieu de ces contrariétés, il avait un sujet plus sérieux d'inquiétude, qu'il me confiait souvent : « Que deviendrai-je, me disait-il, si les Anglais, qui croisent dans ces mers, apprennent mon séjour forcé en Corse ? Il faut rester ! et quel séjour ! Quel ennui ; c'est à n'y pas tenir !... »

Le 7 octobre, les vents changèrent enfin et l'on se remit en route : « La navigation fut heureuse et tranquille jusqu'au lendemain, mais ce jour-là, au moment du coucher du soleil, nous signalâmes une escadre anglaise de quatorze voiles. Les Anglais, favorisés par la disposition de la lumière que nous avions en regard, nous voyaient mieux que nous ne pouvions les voir. Ils reconnurent nos deux frégates comme étant de construction vénitienne, et la nuit survint très heureusement pour nous, car nous n'étions pas fort éloignés les uns des autres : nous vîmes longtemps les signaux de la flotte anglaise ; le bruit du canon se fit entendre de plus en plus vers notre gauche, et nous crûmes que l'intention des croiseurs était de nous tourner par le sud-est. En cette circonstance il fut permis à Bonaparte de rendre grâce à la fortune, car il est bien évident que si les Anglais eussent pu soupçonner que nos deux frégates venaient de l'Orient et se rendaient en France, ils nous auraient fermé le chemin en faisant voile entre la terre et nous, ce qui leur était très facile. Ils nous prirent probablement pour un convoi d'approvisionnement se rendant de Toulon à Gênes, et ce fut à cette erreur et à la nuit que nous dûmes d'en être quittes pour la peur. »

Dès que *La Muiron* eut jeté l'ancre dans la baie de Saint-Raphaël, Bonaparte comprit que sa fortune allait prendre une face nouvelle. Des barques entourent son navire. Ceux qui les montent l'acclament, montent à bord, en dépit du service de santé, pour le voir de plus près. L'allégresse dont il recueille les signes lui fait connaître qu'il est attendu. Si l'heure est passée où l'on aurait eu besoin d'un grand capitaine pour défendre les frontières et repousser l'ennemi, on a besoin d'un soldat, d'un chef, pour sauver la République et l'État. Bonaparte découvre qu'en son absence sa gloire a grandi.

Du départ de Toulon jusqu'à ce retour triomphal à Fréjus, il a joué la partie d'Égypte et elle est gagnée.

Chapitre VIII

L'armée abandonnée

Cependant les Français restaient dans leur extraordinaire conquête dont l'histoire n'est pas finie.

On a exagéré dans les deux sens les sentiments de l'armée privée de son chef. Selon les uns, elle aurait eu un accès d'indignation et de colère, accusant son général de l'avoir trahie et de fuir lâchement, le couvrant d'injures dont la plus douce était le surnom de « Bonatrape ». Selon les autres, elle aurait, après un moment de mauvaise humeur, très bien compris que la présence de son général était plus utile en Europe qu'en Afrique et qu'il ne manquerait pas de tenir sa promesse et de lui envoyer des secours. Au surplus, le nom seul de Kléber, appelé au commandement, suffisait à ramener la confiance et la tranquillité dans les esprits.

A la vérité, et l'on ne s'en aperçut pas tout de suite, l'expédition perdait son animateur. En choisissant Kléber pour lui succéder, Bonaparte avait pensé surtout à ses qualités militaires, à sa figure martiale et imposante, à sa popularité dans la troupe, au prestige que cet

« homme superbe », « sévère et indulgent avec discernement », ne manquerait pas d'acquérir parmi les populations égyptiennes. Il n'était pas fâché non plus de donner ce témoignage d'estime à un général avec lequel il avait eu quelques démêlés, car la rivalité était restée tenace entre les officiers venus de l'armée du Rhin et ceux de l'armée d'Italie qui formaient en quelque sorte deux clans. Mais, à cet égard, le choix de Desaix eût été plus heureux car le « sultan juste » avait déployé en Haute-Égypte des dons d'administrateur qui faisaient défaut à Kléber.

Ce qui manqua désormais à l'expédition, ce fut le chef civil qui devait doubler le chef militaire. Ce fut l'esprit politique qui était nécessaire pour embrasser l'ensemble des problèmes posés par l'occupation et le protectorat. Il eût fallu un législateur et un diplomate. Kléber était un soldat, un des plus beaux qui se soient jamais vus, le « dieu Mars en uniforme », disait Napoléon, mais d'une instruction médiocre et peu réfléchi.

Il n'y eut d'abord rien de changé sinon que le nouveau général en chef, avec raison, entoura son commandement d'un appareil presque royal. C'est en étant simple dans son costume, modeste dans ses cortèges que Bonaparte, en Égypte comme ailleurs, frappait les imaginations. Il jouait du contraste entre sa taille médiocre et l'autorité qui se dégageait de sa personne. Kléber se servit de sa haute stature, de ses manières naturellement nobles et gracieuses pour se montrer dans la pompe d'un souverain, se faisant précéder de bâtonniers et suivre d'une riche escorte, ordonnant qu'on se tint debout et qu'on s'inclinât devant lui, marques de déférence qu'il recevait avec grâce et sans affectation.

Si la bravoure, la générosité et le faste avaient suffi, Kléber n'eût pas été inégal à la tâche. Mais il n'en avait pas la passion. A peine en avait-il le goût. Il manquait de souplesse. L'aptitude au gouvernement, qui était innée chez le Corse, l'Alsacien, plus rude, avait à l'acquérir. En outre, il avait trop souvent critiqué son chef pour s'en faire d'emblée le continuateur. Il pouvait du reste se plaindre de n'avoir pas même été consulté. Bonaparte, pour éviter un refus et une scène, lui ayant notifié par écrit et tout à la fois son départ et l'ordre de prendre le commandement.

Kléber avait donc obéi. Il n'avait pas désiré ces hautes fonctions. On peut dire qu'il les subissait. Influençable et mobile autant qu'il était ardent, il n'était que trop disposé à écouter ses camarades de l'armée du Rhin pour qui l'entreprise égyptienne était une erreur et une folie. Beaucoup, et c'était le cas de Kléber lui-même, ne s'y étaient associés que faute de mieux et pour ne pas rester dans l'inaction.

Leur ennui et leur dégoût redoublaient depuis qu'ils savaient que la guerre s'était rallumée en Europe. Ils demandaient ce qu'ils faisaient au bord du Nil et s'ils n'avaient pas les mêmes raisons que le général Bonaparte de courir à la défense de la patrie menacée. Pour tout dire, une notable partie de l'armée réclamait l'évacuation et voyait l'avenir sous le jour le plus noir. Ce pessimisme, qui s'autorisait de l'exemple venu d'en haut puisque l'initiateur lui-même renonçait à sa conquête, redoubla quand on apprit la formation et la mise en marche d'une nouvelle armée turque.

Atteint lui-même par cette démoralisation, Kléber se persuada qu'il n'y avait pas de temps à perdre pour ramener l'armée en France. Cet état d'esprit lui fit commettre de lourdes fautes.

En premier lieu, dès le 26 septembre, il envoyait en double au Directoire un rapport qui peignait la situation sous les couleurs les plus sombres. Il montrait l'armée, manquant de tout, incapable de résister à une nouvelle attaque des Anglais et des Turcs commandés par le Grand Vizir en personne. Une crise s'annonçait pour l'Égypte elle-même, affirmation qui s'appuyait d'un mémoire de l'administrateur Poussielgue. Très prochainement il ne serait plus possible de se maintenir que dans un certain nombre de villes et de forts. Aussi paraissait-il plus sage de prendre les devants et d'offrir à la Turquie de partager la souveraineté de l'Égypte avec la France par une sorte de condominium. Enfin le général Bonaparte était rendu responsable de ce déplorable état de choses et l'on insinuait qu'il était parti pour en esquiver les conséquences.

Le moindre inconvénient de ce rapport « défaitiste » fut qu'au lieu de parvenir aux cinq Directeurs de la République française il fut lu par Bonaparte lui-même, devenu premier Consul. Mais le second exemplaire tomba aux mains des Anglais qui le prirent au pied de la lettre. Considérant que l'armée française était, de l'aveu de son nouveau chef, découragée et incapable de résistance, ils provoquèrent l'échec des négociations que Kléber allait se hâter d'ouvrir.

« Trop insouciant pour s'assurer par lui-même de la véritable situation des choses, ne songeant seulement pas à examiner si les états qu'il envoyait étaient d'accord avec ses propres assertions, Kléber ne croyait pas mentir », écrit Thiers. « Il transmettait par négligence et mauvaise humeur les ouï-dire que la passion avait multipliés autour

de lui, au point de les convertir en une espèce de noto-
riété publique. » En effet, ni la force matérielle et numérique, ni le moral de l'armée n'étaient aussi bas qu'il
s'en était persuadé, et l'on allait bientôt le voir. Déjà, le
1ᵉʳ novembre, un débarquement tenté par les Turcs devant
Damiette avait été brillamment repoussé par le général
Verdier avec des pertes insignifiantes pour les Français.
Soit que ce fait d'armes ne lui rendît pas confiance, soit
qu'il jugeât que ce succès était de nature à faciliter une
négociation, Kléber entra en pourparlers avec Sidney
Smith auprès duquel il délégua, afin de tenir la balance
égale entre les deux partis, Poussielgue qui était pour
l'évacuation et Desaix qui était contre.

Ces pourparlers étaient viciés dès le principe par le fait
que le commodore britannique n'avait pas de pleins pouvoirs et ne pouvait conclure qu'une suspension d'armes
alors que les Français, sans expérience de la diplomatie,
croyaient traiter avec un véritable plénipotentiaire et
cherchaient à l'abandon de l'Égypte des compensations
politiques. Tout au moins fallait-il obtenir un armistice
avec les Turcs qui, tandis que ces conversations avaient
lieu à bord d'un navire anglais, avançaient à travers la
Syrie.

Sidney Smith avait reconnu la justesse de cette
demande et s'était rendu lui-même auprès du Grand
Vizir pour arranger une suspension d'armes lorsque par-
vint la nouvelle d'un événement tragique. Les Turcs
avaient assiégé El-Arish et la petite garnison française de
cette place forte était, comme toute l'armée, partagée en
deux camps et, de plus, travaillée par des émissaires de
l'ennemi. Les uns étaient résolus à résister. Les autres,
prêts à se rendre, aidèrent, dit-on les assaillants à entrer

dans la ville et la garnison presque tout entière avait été massacrée.

Il y a lieu de penser que ce triste épisode, au lieu d'éclairer Kléber et de ranimer son énergie, le persuada encore davantage que l'évacuation était le seul parti à prendre.

Après qu'il eut renoncé à toutes les conditions politiques qu'il avait mises au départ de l'armée française, une convention préliminaire fut signée, à El-Arish même, le 24 janvier 1800, par les plénipotentiaires français et turcs, en présence de Sidney Smith. Le commodore laissa-t-il entendre qu'il avait des pouvoirs suffisants pour que son approbation engageât le gouvernement britannique ? S'est-il abusé lui-même ou bien a-t-il entretenu à dessein l'équivoque ? En tout cas, il paraissait entendu que, les hostilités cessant, les Français évacueraient l'Égypte dans l'espace de trois mois avec les honneurs de la guerre et que des navires seraient mis à leur disposition pour qu'ils regagnassent leur pays sans être inquiétés. Un conseil tenu par Kléber à Salahieh avait approuvé par avance ces conditions auxquelles les opposants, comme Davout et Desaix lui-même, cédant à l'entraînement général, s'étaient ralliés. Le 28 janvier, Kléber envoyait sa ratification. Les partisans du renoncement l'emportaient et, aussitôt, l'exécution de la convention d'El-Arish commença.

Déjà les Turcs avaient pris possession de la rive droite du Nil et d'une partie du Delta. Ils occupaient Catieh, Salahieh, Belbeïs, tous les forts de la Haute-Égypte, Damiette et le fort de Lesbeh. Les troupes françaises rassemblées avec leurs armes et leurs bagages étaient dirigées sur Alexandrie pour l'embarquement lorsque

Sidney Smith fit connaître à Kléber que son gouvernement n'avait pas ratifié l'accord et exigeait que l'armée française se rendit prisonnière à discrétion. Pour le général en chef, c'était le résultat de deux lourdes fautes, la première commise par légèreté en négligeant de se faire confirmer les pouvoirs du commodore, la seconde par faiblesse en laissant croire au cabinet de Londres que l'Angleterre pouvait, sans risque, tout exiger.

Kléber alors se ressaisit. Il mit à l'ordre du jour du 18 mars la lettre par laquelle lord Keith, d'ordre de son gouvernement, désavouant Sidney Smith, avait anéanti la convention d'El-Arish, et il la fit suivre de ces simples mots :

« Soldats, on ne répond à de pareilles insolences que par des victoires ! Préparez-vous à combattre. »

Chapitre IX

L'assassinat de Kléber

Pour échapper à une capitulation pure et simple, il fallait reconquérir l'Égypte presque entière. L'armée française avait à sauver son honneur et sa liberté. Comme son général venait de le dire, elle répondit par des victoires qui prouvèrent à quel point le pessimisme avait été outré. A l'exemple de son chef, elle avait, selon l'expression de Menou, « repris une attitude de guerre ». Elle souffrait surtout de nostalgie. Elle avait le « mal du pays » et se plaignait d'être comme en exil. Combien, cependant, l'Égypte était préférable aux pontons anglais ! Le gouvernement britannique avait trop cru au découragement de ces soldats. Il n'avait pas compté avec leur fierté : « Les Anglais veulent nos armes, disaient-ils. Qu'ils viennent donc les prendre. »

Cependant les plus menaçants étaient les Turcs, déjà en marche pour prendre possession du Caire et qui étaient arrivés à El-Khanka, à quatre heures de route de la capitale. Kléber somma le vizir Youssef-Pacha de repasser la frontière syrienne puisque lord Keith avait dénoncé la convention d'El-Arish. Youssef-Pacha répondit que, pour lui, la convention restait valable et à son tour somma Kléber de lui livrer Le Caire. La bataille fut immédiatement engagée près du village d'El-Matarieh (20 mars 1800, 29 ventôse an VIII). Elle a porté le nom d'Héliopolis, l'action décisive s'étant livrée non loin de l'obélisque.

Les effectifs que les Turcs avaient en ligne dans cette bataille ont été probablement exagérés. Il convient de les ramener de 70 à 80 000 à 65 dont 50 de cavalerie, tandis que les Français étaient au nombre de 15 000 (exactement 14 350 d'après les états) et non 10 000 comme on l'a dit. L'ennemi n'en fut pas moins mis en déroute bien qu'il eût une artillerie formée par des instructeurs français durant la mission du général Aubert-Dubayet à Constantinople. Poursuivi, le Grand Vizir abandonna Salahieh et repassa en Syrie avec cinq cents cavaliers tandis que le reste de son armée se répandait en désordre à travers l'Égypte. Les pertes des Français avaient été presque insignifiantes.

La journée d'Héliopolis ne terminait pourtant pas tout. Deux circonstances, l'une heureuse et l'autre qui ne l'était pas, avaient accompagné cette victoire.

En premier lieu, Mourad-Bey s'était, pendant la bataille, tenu en vue des deux armées sans intervenir. Conformément à un accord conclu avec Kléber, il se réservait de passer du côté du vainqueur, faisant secrètement des vœux pour les Français dont il allait devenir l'allié et dont il préférait la domination sur l'Égypte à celle du sultan. Mais, d'autre part, soit que ce mouvement lui eût échappé, soit plus probablement et comme il l'expliquait lui-même qu'il ne disposât pas de forces suffisantes pour le prévenir, Kléber ne put empêcher les Turcs échappés à l'assaut d'El-Matarieh de déborder sa gauche et d'entrer au Caire, au nombre de 8 à 10 000, sous les ordres de Nassif-Pacha auquel s'étaient joints environ 2 000 Mamelouks commandés par Ibrahim, devenu désormais l'adversaire de Mourad.

Ce fut la cause de ce qu'on appelle la seconde révolte du Caire, plus grave que la première, mais qui a été grossie autant qu'elle et peut-être encore plus dénaturée.

Le récit qu'en donnent les mémoires de Berthier (qui ne fut pas témoin de l'événement puisque, comme nous l'avons vu, il était parti en même temps que Bonaparte), prête à cet événement un caractère d'atrocité. On a cru voir des foules fanatiques et jusqu'aux habitants des villages « soulevés et armés », alors qu'ils n'avaient même pas de gros bâtons. Il n'est pas contestable qu'il y eut de graves excès, assassinats et pillages dans le quartier européen, dans les maisons des Grecs, des Coptes, des chrétiens de Syrie. Des observateurs de sang-froid comme Richardot, qui met les choses au point, notent toutefois que le gros de la population s'abstenait autant que possible de prendre part à une lutte dont elle faisait les frais, n'ayant aucune raison de désirer le gouvernement des Osmalis. « Les Égyptiens ne savent-ils pas que toujours ils ne peuvent que perdre à la guerre, quel que soit le parti des vainqueurs ? »

Si Nassif-Pacha trouva des concours, ce fut par la terreur et en annonçant que les Français avaient été taillés en pièces, ce que semblait confirmer son entrée au Caire dont il venait prendre possession au nom du sultan Sélim. Retranchés à Boulaq, les Turcs n'étaient pourtant pas entièrement maîtres de la capitale, où une garnison française était demeurée. Ils en occupaient la partie nord-est, assiégeant le quartier général de la place Esbékieh.

Néanmoins Kléber réussit à pénétrer dans sa résidence contre laquelle se brisèrent les efforts des assaillants jusqu'au moment où ils commencèrent à être refoulés à leur tour. C'est sur cette place et dans les rues adjacentes que se concentra la lutte car « aucun autre quartier n'eut à souffrir de cette guerre intérieure qu'on s'est efforcé de qualifier de révolte du Caire contre toute raison, on peut même dire contre toute bonne et sage politique de notre part ». (Richardot.) Si, en effet, la ville entière s'était soulevée, les Français n'eussent pas été assez nombreux pour la réduire. Ils y gardaient des partisans, quoique les plus notables de ceux-ci fussent surveillés ou persécutés et que Nassif-Pacha eût fait empaler Mustapha-Agha, chef de la police sous Bonaparte.

Kléber, se souvenant des leçons de son ancien chef, eut le mérite de comprendre que toute la population du Caire n'était pas hostile, que le fanatisme était excité et exploité par les Turcs qui contraignaient les muezzins à maudire les infidèles. Mais il avait gardé des relations secrètes avec les cheiks. Il se servait aussi des intelligences que Mourad avait dans la ville. Enfin Mamelouks, Osmanlis, Égyptiens des diverses religions avaient des intérêts trop divers pour que la réunion de tous fût à craindre.

Kléber fut donc bien inspiré en s'abstenant d'une action précipitée. A vouloir reprendre la capitale en une fois et de vive force il se serait exposé à faire accabler ses troupes dans une guerre de rues, soit à détruire cette grande cité. Il préféra avec sagesse localiser la répression. Boulaq fut pris d'assaut et mis à sac pour répondre par la terreur au terrorisme qu'exerçaient les Turcs. En même temps des nouvelles successives convainquaient la population que les Turcs n'étaient pas aussi puissants qu'ils le prétendaient. Ce fut d'abord la reprise de Damiette par le général Belliard, que balançait il est vrai un coup de main des Anglais et des Turcs sur Rosette, puis l'alliance proclamée avec Mourad qui faisait savoir qu'il était désormais « un sultan français » et que les Français et lui ne faisaient qu'un.

Lorsqu'enfin Nassif et Ibrahim, attaqués dans l'espèce de citadelle qu'ils avaient formée dans la maison Sitteh Fatmé, durent se rendre, obtenant seulement la vie sauve, il y avait près d'un mois que durait la reprise du Caire (25 avril 1800). Le rapport de Kléber note qu'à la suite des Turcs trois à quatre mille habitants quittèrent la ville pour échapper à la vengeance des Français, ce qui tendra à prouver que le nombre de ceux qui avaient pris une part active à l'insurrection et se sentaient compromis était assez réduit.

L'Égypte était reconquise jusqu'à Suez d'où les Anglais venaient d'être expulsés. Kléber avait réparé sa lourde erreur et démontré combien était faux le jugement qu'il avait porté sur l'avenir de l'expédition dans un moment de faiblesse. Après avoir dit qu'il n'avait pas les moyens de résister à une attaque de l'Angleterre et de la Turquie, il leur avait arraché en quelques semaines le pays dont il avait eut l'imprudence de leur livrer la moitié dans une négociation irréfléchie.

Dès lors, maître de la situation, il ne s'occupa plus que d'administrer l'Égypte, revenue au calme. Les méthodes de Bonaparte, qu'il avait tant critiquées, furent remises en honneur. La clémence de l'ancien chef fut elle-même imitée, et tandis que les villes rebelles attendaient des châtiments impitoyables, Kléber se contenta de leur infliger des amendes.

Les derniers jours qui lui restaient à vivre, il les employa à effacer les traces de l'invasion turque, à entreprendre des travaux d'utilité publique, à corriger des abus, à réorganiser les finances et à fortifier l'armée en développant les formations auxiliaires, légions grecque, copte et syrienne auxquelles s'ajoutaient d'anciens Mamelouks et même des Noirs, achetés au Darfour, et dont Bonaparte avait déjà entrevu l'aptitude à faire de bons soldats. On peut dire que l'établissement des Français, après l'épreuve qu'ils venaient de subir, n'avait jamais paru plus solide. Le peuple d'Égypte avait cru un moment leur perte certaine. Il les regardait maintenant comme les « souverains absolus et incommutables d'un pays dont aucune puissance ne pourrait plus les forcer à sortir ». C'est à ce moment que Kléber fut assassiné.

Il ne le fut pas par un Égyptien. Son meurtrier, Soleyman, écrivain public, « entré dans le combat sacré contre les infidèles », était venu d'Alep, sa ville natale. L'agha des janissaires de cette ville ayant demandé quelqu'un qui voulût tuer le général des Français, Soleyman s'était présenté, avait postulé pour récompense la grâce de son père, marchand de beurre, emprisonné pour fraude dans son commerce, et avait reçu quelque argent pour faire le voyage.

Arrivé au Caire et ayant reçu l'hospitalité à la grande mosquée, il s'était ouvert de son projet à quatre lecteurs du Coran, originaires de Gaza, c'est-à-dire Syriens comme lui. Ceux-ci avaient eu le tort grave de ne pas avertir les autorités et alléguèrent pour leur défense qu'ils n'avaient pas pris au sérieux le secret que cet inconnu était venu

leur confier. Soleyman El-Haleby s'était attaché aux pas
de Kléber, l'avait même suivi pas à pas à Gizeh jusqu'au
moment où, s'étant glissé dans les jardins de la résidence, il s'approcha du général en chef sous prétexte
de demander l'aumône ou de lui remettre un placet et
lui porta quatre coups de poignard, blessant en outre
l'architecte Protain.

C'était le 14 juin 1800. Ce jour-là, à Marengo,
presque à la même heure, Desaix qui, à la demande du
Premier Consul, avait quitté l'Égypte avec Davout aussitôt après la signature de la convention d'El-Arish, était
tué à son tour en assurant la victoire par son arrivée sur
le champ de bataille. Ainsi, par une rencontre singulière,
disparaissaient à la fois celui que les Égyptiens avaient
surnommé le *sultan juste* et celui que, depuis Héliopolis,
ils appelaient le *sultan fort*.

Mais le successeur de Kléber, celui par qui les Français
allaient perdre définitivement l'Égypte, ne devait recevoir
aucun surnom.

Chapitre X

Abdallah Menou

Les officiers chargés de l'instruction du crime s'étaient préoccupés de savoir si l'assassin n'avait pas eu de complices et s'il ne se formait pas au Caire une conspiration contre les Français. Rien de semblable ne fut révélé. Le meurtre du général en chef était bien l'œuvre d'un solitaire, instrument de la vengeance turque. Les funérailles solennelles de Kléber furent célébrées. Puis Soleyman fut empalé après avoir eu le poignet droit brûlé, les juges ayant décidé de choisir « un genre de supplice en usage dans le pays pour les plus grands crimes et proportionné à la grandeur de l'attentat ». Les quatre lecteurs d'El-Azhar qui avaient reçu la terrible confidence furent condamnés à mort. Trois eurent la tête tranchée, le quatrième ayant pris la fuite.

L'Égypte resta calme et blâma l'assassinat du chef français. Ce n'était pas d'elle qu'allait venir la fin de l'expédition, fin malheureuse et désormais prochaine. Kléber mort, le général le plus ancien en grade se trouvait investi du commandement. C'était Menou à qui il était réservé, par une singulière ironie du sort, de perdre l'établissement français d'Égypte, bien qu'il en fût le plus ferme partisan.

Napoléon, dans ses mémoires, a dit de Menou qu'il était instruit, bon administrateur, intègre et brave et il ajoute qu'« il était impossible alors de prévoir à quel point Menou avait d'incapacité pour la direction des affaires de la guerre ».

Sur ce point, Napoléon avait eu une singulière absence de mémoire. Nul mieux que lui ne devait connaître cette incapacité. Si, au 13 Vendémiaire, la direction de la force armée avait été confiée au général Bonaparte, c'était justement parce qu'il avait fallu destituer Menou, trop faible en face des sections parisiennes insurgées contre le Directoire. Telle avait même été l'occasion qui avait permis à Bonaparte de sortir de l'obscurité. Il ne pouvait donc pas s'abuser sur les qualités militaires de son successeur à la tête de l'armée d'Égypte.

Mais le Premier Consul se souvint que Menou avait protesté contre l'évacuation et qu'il était l'un des plus ardents parmi les « colonistes », ayant adopté l'Égypte jusqu'à se faire musulman, comme nous l'avons vu (ce qui, disait Napoléon, « était assez ridicule mais fort agréable au pays ») et jusqu'à signer tous ses ordres Abdallah J. Menou. De plus, l'ancienneté l'ayant désigné, il fut confirmé dans son commandement par le Premier Consul pour plusieurs motifs dont le principal était qu'aucun autre choix ne s'imposait, si peu même que, sous le coup de la mort de Kléber, la tâche paraissant trop lourde, personne ne voulait s'en charger. Ce fut au point qu'une contestation s'éleva entre le général Menou et le général Reynier, non pour savoir qui aurait la place, mais lequel la céderait à l'autre. Menou, qui avait alors environ cinquante ans, allégua, pour décliner le commandement, des raisons qu'il ne tarda pas à regretter. Il invoquait son âge, son inexpérience de la guerre qu'il n'avait pas faite activement, n'ayant pour ainsi dire pas quitté Rosette depuis l'arrivée de l'armée d'Orient. Il ajoutait qu'il était moins connu des troupes que le général Reynier. Celui-ci s'en tenait au règlement auquel il ne pouvait être dérogé que par une renonciation volontaire que Menou, à la vérité, n'offrit pas. Mais Menou ne fut pas plus tôt général en chef que Reynier fut froissé de n'avoir pas été reconnu le plus capable.

Un esprit de mésentente, de division et d'opposition se répandit alors dans les états-majors, le même qu'au début du gouvernement de Kléber, les officiers de l'armée du Rhin, dont était Reynier, regrettant plus que jamais de se morfondre en Afrique lorsque leurs camarades prenaient part à de victoires en Europe.

Naturellement dépourvu de prestige, Menou était peu respecté. On lui reprochait, lui qui ne s'était pas battu, de mal parler de Kléber et même du Premier Consul auquel il adressait cependant des protestations de dévouement emphatiques et enflammées. L'armée n'estimait qu'à moitié ce « ci-devant », ce baron de Menou, maréchal de camp au moment de la Révolution et député de la noblesse de Touraine aux États-Généraux, qui, depuis, avait fait sa carrière à Paris dans les couloirs des assemblées et les antichambres des ministres.

Sans compter le désir du retour en France, qui se réveillait avec force, il y avait là le principe d'une mauvaise volonté, d'une insubordination, d'un manque de confiance réciproque, toutes choses qui devaient être funestes et dont le nouveau général en chef ne fut pas tout à fait innocent. Il commit des maladresses dont la plus grave fut de marquer de l'hostilité aux opposants, de s'entourer de ceux qui pensaient comme lui, sincèrement ou par flatterie, et d'écarter les autres officiers généraux. Le germe de la ruine fut là.

Il semble néanmoins qu'en raison de son insuffisance militaire et de ses fautes de tact on ait poussé trop loin la sévérité à l'égard de Menou. Thiers reconnaît qu'administrateur laborieux il fit de bonnes choses, mais en fit aussi de mauvaises et surtout en fit trop. Il l'accuse d'avoir compromis l'établissement de la France en Égypte. « Cette manie d'assimiler une colonie à la métropole et de croire qu'en la froissant on la civilise possédait Menou comme tous les colonisateurs peu éclairés et plus pressés de faire vite que de faire bien. »

Il avait surtout la manie légiférante. C'était le chef qui entre dans les moindres détails, contrairement au précepte des Romains. Sans répit, il publiait des arrêts et des règlements sur toutes choses, réformant et organisant, du petit au plus grand, les finances, la justice et l'agriculture, l'assiette et la perception des impôts, les services de santé publique, le contrôle des monnaies. Un jour il prescrivait l'enseignement de l'anatomie, un autre jour il interdisait l'usage du haschich aux Égyptiens, puis celui de l'alcool à ses soldats, ou déclarait le « prix du sang » périmé en matière criminelle. Cependant il tenait aussi la main à une scrupuleuse honnêteté de l'administration française. Il réprima les « déprédations », allant pour les punir jusqu'à faire des additions au code pénal militaire et par là se créa des ennemis, non moins qu'en proclamant très haut, ce qui retombait sur la mémoire de Kléber, soupçonné un jour de malversations, qu'il avait trouvé après lui des « plaies profondes ».

C'était certainement injuste. Au moment où Soleyman commit son crime, l'ordre était rétabli, la prospérité était revenue. Le mouvement des ports était actif. Les Grecs, naviguant sous le pavillon turc, assuraient à Alexandrie, à Damiette et à Rosette les échanges qui, d'autre part, se faisaient par les Arabes à Suez et à Cosseir. Les caravanes, protégées par une bonne police, étaient régulières. Enfin, conformément au programme que Bonaparte avait tracé, on continuait d'outiller l'Égypte. L'isolement, comme plus tard le Blocus continental, stimulait l'esprit inventif des Français. L'ingénieur Conté, avec ses équipes d'ouvriers militaires, peut être regardé comme l'initiateur de l'industrie européenne en Égypte.

Il n'en est pas moins vrai que si Menou était trop porté à voir partout des abus, à s'admirer lui-même et à aller trop vite, que s'il était en outre déclamateur, il était bien dans l'esprit de l'expédition.

Il était convaincu que sa mission était d'apporter sur la terre d'Égypte les idées et les méthodes de l'Occident, le progrès et les lumières. Il imitait assez grossièrement Bonaparte. Il l'a continué plus qu'on ne consent à le reconnaître. Un peu « ridicule », comme le disait Napoléon, mais sincère, sa sympathie pour la religion musulmane répondait encore à la politique de son ancien chef. Les huit ou neuf mois d'administration civile de Menou (de juin 1800 à mars 1801) ont laissé des traces bienfaisantes. Lui-même, dans sa proclamation du 6 brumaire an IX aux habitants de l'Égypte, pouvait se féliciter des résultats acquis, la justice pour tous, l'impôt exact et payé sans bastonnade, la propriété respectée, le commerce

protégé : « Vous étiez malheureux, l'armée française est
venue en Égypte pour vous porter le bonheur. »

Menou fut surpris par la guerre dans ses travaux de
Solon et de Lycurgue. Pendant plusieurs mois, il avait
joui d'une tranquillité complète. D'ailleurs le Premier
Consul tenait la promesse qu'il avait faite en quittant
l'Afrique. Il s'occupait de ravitailler l'armée d'Orient,
de lui envoyer des renforts, des munitions et aussi des
nouvelles, sachant combien l'isolement était pénible au
corps expéditionnaire. Loin de négliger sa conquête, elle
continuait de tenir une place dans sa pensée et dans ses
calculs. « La grande affaire est de soutenir l'Égypte »,
écrivait-il le 15 janvier 1801, huit jours avant que
Gantheaume sortît de Brest avec son escadre pour tenter
de parvenir à Alexandrie. Il importait au Premier Consul
que l'Égypte, au moment de la paix générale, fût encore
occupée par les Français, autant qu'il importait à l'Angleterre que la France ne l'eût plus en main.

Dans sa première proclamation à l'armée, Menou avait
fait une allusion, cruelle pour la mémoire de Kléber, à
la « capitulation » d'El-Arish. Il avait ajouté que seul,
à l'avenir, le gouvernement de la République ratifierait
ce qui pourrait être conclu entre l'armée française et
les puissances ennemies. L'avenir devait apporter un
triste démenti à cette promesse. Menou était fermement
résolu à défendre l'Égypte si elle était encore attaquée.
Seulement, lorsque l'ennemi se présenta, il ne prit pas les
moyens de le repousser.

Plus tard, Napoléon disait à Las Cases : « Menou était
tout à fait incapable. Les Anglais vinrent l'attaquer avec
20 000 hommes ; il avait des forces beaucoup plus nombreuses et le moral des deux armées ne pouvait pas se

comparer. Par un aveuglement inconcevable, Menou se hâta de disperser toutes ses troupes dès qu'il apprit que les Anglais paraissaient ; ceux-ci se présentèrent en masse et ne furent attaqués qu'en détail. » L'empereur faisait aussi allusion aux violents désaccords de Menou et de Reynier, mésintelligence par laquelle l'armée était devenue « un champ d'intrigues ». L'exilé de Sainte-Hélène ne savait pas tout ou ne voulait pas tout dire.

Il est certain que, le 4 mars 1801, lorsqu'on apprit que la flotte anglaise avait paru devant Aboukir, plusieurs généraux, parmi lesquels Reynier, essayèrent de faire comprendre au commandant en chef qu'il devait s'opposer au débarquement avec toutes ses forces. Menou les dispersa. Il répondit qu'il devait veiller à la frontière de Syrie et donna à Reynier l'ordre formel de se rendre à Belbeïs.

Il est encore certain que cette frontière de Syrie, Menou cessa d'y veiller au moment précis où le vizir, encouragé par le premier succès des Anglais, se décidait à prendre l'offensive. Menou, dit Thiers, « était absolu dans ses ordres tout en restant incertain dans ses idées ». Il repoussait les conseils de subordonnés qu'il regardait comme ses adversaires et le danger était loin d'avoir refait l'union.

Menou se rappelait trop la démarche comminatoire à laquelle presque tous les généraux s'étaient livrés auprès de lui pour le sommer de les ramener en France, la fronde à la fois civile et militaire à laquelle s'était mêlé l'ancien conventionnel Tallien, adjoint à l'expédition au titre d'économiste et que le commandant en chef avait dû expulser d'Égypte, le priant de « porter ailleurs son souffle pestilentiel ». Le moment où l'on avait appris, à n'en pouvoir douter, que les Anglais rassemblaient leurs forces à Rhodes et à Macri était donc celui où la discorde était le plus âpre, où les généraux Damas et Lanusse écrivaient à leur supérieur des lettres injurieuses. Ces querelles devaient durer et même s'envenimer au milieu de la défaite. Quelques jours avant que le siège d'Alexandrie commençât, Menou ordonnait l'arrestation de Reynier et de Damas et les expédiait en France avec deux autres militaires presque aussi élevés qu'eux dans la hiérarchie.

L'état moral de l'armée était donc aussi mauvais qu'il pouvait l'être et si les dispositions prises furent détestables, si, malgré tout, quelques-uns de ceux, comme Lanusse, qui croyaient avoir le plus à se plaindre, se firent bravement tuer, quelques autres restèrent dans une coupable inaction, par dégoût et par un désir secret d'en finir. Toutes ces raisons expliquent pourquoi l'armée qui s'était si énergiquement ressaisie à Héliopolis se fit battre en détail et renvoyer d'Égypte un an après l'avoir reconquise.

Le 8 mars 1801, le général Friant (le seul, ou peu s'en faut, qui n'eût pris part à aucune des disputes et des intrigues où se dissolvait l'armée), ne disposant pas de plus de 1 500 hommes, n'avait pu empêcher le débarquement de 18 000 ennemis appuyés par le canon de la flotte anglaise. Ce fut le jour fatal selon certains récits.

Une version différente met au 13 mars le commencement de la débâcle. A ce combat, connu sous le nom de combat de Nicopolis, Friant et Lanusse ne concertèrent pas leurs efforts. L'artillerie française ne semble pas avoir profité de la position qu'elle occupait au camp des Romains d'où il eût été facile, malgré la supériorité numérique de l'ennemi, d'arrêter les Anglais en marche sur l'étroite digue vers Alexandrie. A propos de cette affaire, le mot de trahison a même été prononcé par Richardot.

Huit jours plus tard, Menou, ayant enfin compris le danger et étant arrivé avec des renforts, chercha à jeter les Anglais à la mer. Ce fut la bataille indécise de Canope (21 mars), à laquelle le général en chef assista avec une sorte d'apathie, laissant faire ses subordonnés.

Après cet échec sanglant (2 500 Français hors de combat, trois généraux blessés à mort, dont Lanusse), la prudence avec laquelle se comportait l'armée anglaise permettait encore de concentrer les forces françaises. Il fut laissé au Caire trop de soldats qui eussent été nécessaires ailleurs, trop peu pour défendre cette grande ville. Le 10 mai, par une sanction de cette faute nouvelle, les Anglais, déjà maîtres de Rosette, s'emparaient de Rahmanieh où personne n'était venu au secours du général Lagrange.

Dès lors tout fut perdu. Menou, enfermé dans Alexandrie, se trouva coupé de Belliard resté inutilement au Caire, d'où il sortit pour chercher une nouvelle bataille d'Héliopolis que les Turcs lui refusèrent et où il rentra humilié. Le jugement de Thiers n'est que trop vrai : « Ce fut partout la plus honteuse faiblesse avec la plus déplorable incapacité. »

D'ailleurs tout s'en mêlait. Gantheaume était venu se réfugier à Toulon, avec la flotte qui devait apporter des renforts à l'armée d'Orient. Mourad-Bey, dont la fidélité ne s'était pas démentie un instant, mourait sur ces entrefaites et ses Mamelouks cessaient d'être sûrs. Un corps de six mille Turcs, débarqué à Aboukir, ralliait les Anglais commandés par Abercromby. Le vizir approchait du Caire. Un débarquement de cipayes venait d'avoir lieu à Cosséir. Toutes ces nouvelles achevèrent de démoraliser l'armée et de la convaincre qu'il n'y avait plus rien à tenter pour sauver l'Égypte. On peut dire que les Français furent vaincus par eux-mêmes.

Menou avait juré qu'on ne reverrait pas une capitulation d'El-Arish et qu'aucune reddition ne serait valable avant d'avoir été ratifiée à Paris. Il avait écrit au Premier Consul en lui promettant « de se battre jusqu'à la mort et de rendre à jamais mémorable la défense des Français en Égypte ». Le 27 juin, le général Belliard capitulait au Caire et les Anglais lui accordaient les conditions les plus honorables et les plus douces, ayant hâte surtout que l'Égypte fût évacuée.

Menou resta assiégé dans Alexandrie, où, retrouvant de la résolution trop tard et de l'énergie à la dernière heure, il se flattait de recommencer Masséna à Gênes. Le 19 juillet il avait assuré fièrement Sidney Smith que les troupes placées sous ses ordres ne se conduiraient pas comme celles de Belliard au Caire. Le 2 septembre 1801, Menou en fut réduit à se rendre à son tour. L'expédition d'Égypte était finie.

Chapitre XI

Dans le sillage de Napoléon

Et pourtant, malgré cet épilogue qui était comme un enlisement, elle n'avait pas été vaine. Elle ne l'avait pas été non plus malgré l'incertitude des buts que la France s'était proposés.

Voulait-on un établissement durable ? Cherchait-on une diversion et une monnaie d'échange dans la guerre avec l'Angleterre qui alors dominait tout ? Même dans l'esprit de Bonaparte, ces idées n'étaient pas claires.

On parlait quelquefois de l'Égypte comme d'une « colonie » destinée à remplacer celles que la Révolution avait perdues et qui, par sa richesse, par son incomparable situation, vaudrait cent fois mieux que Saint-Domingue. D'autres fois elle était considérée comme un gage et un moyen de négocier. On n'avait pas voulu mettre en question la suzeraineté de la Turquie. On avait annoncé aux habitants qu'on venait les délivrer et les aider à se diriger eux-mêmes. Il avait été procédé tantôt à des tentatives d'assimilation et tantôt à des ébauches de gouvernement local parfaitement contradictoires. En fait,

127

le régime avait été celui de l'occupation militaire bien-
veillante, un régime provisoire, jamais défini, et qui n'était
ni tout à fait la colonie ni tout à fait le protectorat.

Il y a eu, et c'est l'essentiel, présence des Français en
Égypte. Cette présence a laissé des traces sans proportion
avec la faible durée de l'expédition. Cet effort de trois
années, ayant avorté avant la paix d'Amiens, n'a eu aucun
effet politique ni matériel. On eût dit que Bonaparte et le
Directoire avaient perdu du temps et des hommes pour
rien. Aussi ne manquait-il pas de gens pour se plaindre
qu'on eût poursuivi aux bords du Nil une brillante folie
et une vaine chimère.

Mais en premier lieu, l'établissement français en
Égypte a été l'œuvre de Bonaparte. Et elle porte son
empreinte de même que son nom y reste attaché. Il n'est
déjà pas tout à fait négligeable pour l'histoire qu'il en
soit revenu avec un élément essentiel de sa légende qui
lui conférait un prestige nouveau. Désormais, un reflet
oriental, répandu sur sa personne, excite une curiosité
qu'il entretiendra artistement. Il est encore moins indif-
férent que Bonaparte, au contact de l'Orient, ait com-
plété et développé sa vue du monde et de l'homme.

Résumons donc ce qu'il y a appris et acquis.

Deux de ses penchants s'y sont fortifiés. D'abord
une tolérance fondée sur un certain mépris de l'espèce
humaine. C'est en Égypte qu'il a perdu les dernières illusions de sa jeunesse, qu'il s'est, peut-on dire, vraiment
déniaisé. Il y acheva, de son propre aveu, de se dégoûter
des idées de Jean-Jacques Rousseau. Il se confirma dans
la pensée, qui lui était déjà venue en Italie, que, pour le
gouvernement, les principes de la Révolution étaient loin
de suffire à tout. C'est là aussi qu'il apprit la trahison de

Joséphine et, qu'après en avoir vivement souffert, il s'affranchit de cette passion et prit sa première maîtresse. Ensuite le côté poétique de son esprit et de son langage s'est enrichi. S'il n'a pas trouvé la formule selon laquelle « le désert est monothéiste », il subissait l'attrait de cet « océan de pied ferme », et ne l'avait « jamais traversé sans une certaine émotion ». On l'y a vu parfois plongé dans de véritables méditations religieuses. En foulant le sol des Pharaons, le sens inné qu'il avait de la grandeur historique est devenu plus fort. Son mot de la bataille des Pyramides est pompeux mais sincère. Rendre au jour ce passé enseveli est une idée qui l'exaltait. Par la création de l'Institut d'Égypte et par la publication de la *Description de l'Égypte,* on peut dire qu'il a été le parrain de l'égyptologie.

Mais surtout il a achevé l'apprentissage de souveraineté qu'il avait commencé en Italie. On s'étonne moins qu'à trente ans il ait été mûr pour diriger la France quand on voit tout ce qu'il a déjà appris en gouvernant deux pays si différents.

Il a bien eu ses proconsulats, à la manière d'un patricien de Rome. Il a fait au Caire ce qu'il fera Premier Consul à Paris, tout comprendre, tirer parti de tout avec un bon sens profond. La façon dont il parle des Bédouins dans ses mémoires caractérise sa méthode et explique ses succès : « Les Arabes bédouins sont la plus grande plaie de l'Égypte. Il ne faut pas en conclure qu'on doive les détruire ; ils sont, au contraire, nécessaires. Sans eux, ce beau pays ne pourrait entretenir aucune communication avec la Syrie, l'Arabie, les Oasis... Détruire les Bédouins, ce serait, pour une île, détruire tous les vaisseaux parce qu'un grand nombre sert à la course des pirates. »

Il a eu aussi la vision de l'avenir : « Que serait ce beau pays après cinquante ans de prospérité et de bon gouvernement ? écrivit-il plus tard dans ses mémoires. L'imagination se complaît dans un tableau aussi enchanteur. Mille écluses maîtriseraient et distribueraient l'inondation sur toutes les parties du territoire ; les huit ou dix milliards de toises cubes d'eau qui se perdent chaque année dans la mer seraient réparties dans toutes les parties basses du désert, dans le lac Moeris, le lac Mareotis et le Fleuve sans eau, jusqu'aux Oasis et beaucoup plus loin, du côté de l'Ouest ; du côté de l'Est dans les lacs Amer et toutes les parties basses de l'isthme de Suez et des déserts entre la mer Rouge et le Nil ; un grand nombre de pompes à feu, de moulins à vent élèveraient les eaux dans des châteaux d'eau, d'où elles seraient tirées pour l'arrosage ; de nombreuses émigrations, arrivées du fond de l'Afrique, de l'Arabie, de la Syrie, de la Grèce, de la France, de l'Italie, de la Pologne, de l'Allemagne, quadrupleraient sa population ; le commerce des Indes aurait repris son ancienne route par la force irrésistible du niveau; la France, maîtresse de l'Égypte, le serait d'ailleurs de l'Indoustan. »

Bonaparte ne se montrait pas peu fier d'avoir prouvé contre Volney qu'il n'était pas impossible de concilier la présence d'une armée occidentale avec les principes du Coran. Il avait fait beaucoup mieux. Par une sorte de tact naturel, il avait apporté à l'Égypte de ce temps toute la part d'occidentalisme qu'elle pouvait recevoir pour en tirer profit et sans en être rebutée. Ce fut, peut-on dire, dosé de main de maître. C'est ainsi qu'Albert Sorel a pu écrire : « Tout ce qui a fructifié en Égypte est sorti de cette alluvion de la conquête française, du sillon tracé et creusé par Bonaparte et ses compagnons. » L'image est juste. Ils avaient ensemencé la terre. Méhémet-Ali s'est souvenu du chef français. Et quand Ferdinand de Lesseps a réalisé l'idée du canal de Suez, il la tenait des saints-simoniens et, par les saints-simoniens, de Napoléon.

Ce que l'expédition de 1798 a encore laissé en Égypte, c'est la diffusion de la pensée, de la langue, des lois françaises. La conquête territoriale s'est traduite en peu de temps par un échec. La réussite, dans le domaine spirituel, a été longue et brillante. Et il n'en est pas moins vrai que c'est une armée, que ce sont des soldats, leurs sacrifices et leurs victoires, qui ont apporté à leur suite tant d'idées, tant d'avenir et tant de promesses de renouveau.

L'Égypte moderne, création originale et florissante, est sortie d'une idée aventureuse, d'une campagne épique et romanesque. Elle a grandi dans le sillage d'un capitaine qui n'avait pas trente ans. Quelques mois lui avaient suffi pour y marquer l'empreinte de la France. C'est peut-être l'œuvre la plus féconde et la plus durable de Napoléon.

Avertissement

A l'essai historique de Jacques Bainville, *Bonaparte en Égypte*, nous avons cru utile et agréable d'ajouter les deux principaux chants, « Alexandrie » et « Les Pyramides », du poème *Napoléon en Égypte*, publié en 1828, sous le règne de Charles X, sept ans après la mort de l'empereur des Français à Sainte-Hélène. Ces vers hugoliens à la gloire du jeune général en chef de l'expédition d'Égypte sont l'une des premières manifestations littéraires de la « légende napoléonienne », manifestation tolérée par le régime idéologiquement antibonapartiste de la Restauration. Aussitôt le poème fut lu et répandu jusqu'à devenir par la suite, et rester tout au long du siècle, une récitation favorite des collèges, certains vers servant même aux professeurs d'histoire, sous la Monarchie de Juillet et le Second Empire, pour résumer le génie militaire du Corse :

Bonaparte s'avance, et son regard, si prompt,
De la ligne ennemie a mesuré le front.

Les co-auteurs de *Napoléon en Égypte*, aujourd'hui complètement oubliés, furent plus que fameux en leur siècle. Auguste-Marseille Barthélemy était né à Marseille en 1796 et Joseph Méry aux Aygalades, dans la grande banlieue de la cité phocéenne, en 1798. Tous deux furent d'abord séminaristes puis journalistes monarchistes. C'est à Paris, sous la Restauration, que les deux Provençaux, « ouvrirent boutique d'alexandrins satiriques sous la raison sociale Barthélemy et Méry », nous rappelle l'édition 1867 du *Grand Dictionnaire universel du XIXᵉ siècle*, au fil des trois longues colonnes qu'il leur consacre.

« Barthélemy et Méry » se firent donc connaître avec *Les Grecs, Épître au Grand-Turc, Les Jésuites, La Peyronneïde*, satire contre le ministre Peyronnet, *Le Congrès des ministres*, et autres textes montrant leur évolution du pur royalisme vers un libéralisme de plus en plus frondeur. Avec *Napoléon en Égypte*, ils voulurent mettre leur talent au service d'un épisode historique qui commençait à paraître glorieux à une opinion publique française peut-être un peu frustrée par la diplomatie globalement pacifique des Bourbons, malgré l'expédition du Trocadéro, en Espagne (1823) ou la victoire sur les Ottomans à Navarin, en Grèce (1827). Sortit donc à point nommé *Napoléon en Égypte*, que Barthélemy tenta en vain, à Vienne, de remettre en mains propres au roi de Rome exilé, tandis que Méry allait en Italie baiser la main de la ci-devant reine Hortense de Hollande, fille de l'impératrice Joséphine et mère du futur Napoléon III, que l'écrivain rencontra longuement.

Après la Révolution de Juillet, en 1830, les deux associés chantèrent le régime orléaniste dans *L'Insurrection*, mais, récompensés, trop parcimonieusement selon eux, par Louis-Philippe, ils se mirent par la suite, dans leurs publications, à vanter les vertus supposées du républicanisme, avant d'autres pirouettes. Il faudrait des pages entières pour citer tous les volumes ou opuscules, pleins de leur verve mais aussi de leurs palinodies et de leur « girouettisme », que publièrent tout au long du siècle ces deux plumes ultrafécondes. L'épique *Napoléon en Égypte*, parmi leurs œuvres « sérieuses » surnagea longtemps au milieu d'autres vers stagnant souvent dans les bas niveaux de l'actualité politicienne.

J.-P. P.-H.

Nota : Nous avons bien entendu respecté l'orthographe du temps dans les chants eux-mêmes et également dans les notes fouillées qui acccompagnent l'édition originale.

NAPOLÉON EN ÉGYPTE

Poème de Barthélemy et Méry
(1828)

Alexandrie

Invocation. – Voyage de la flotte.
– Arrivée devant Alexandrie.
– Proclamation de Bonaparte ; exposition du sujet.
– Débarquement de l'armée. – Dénombrement des chefs.
– Portraits. – Marche vers Alexandrie.
– Préparatifs de défense. – Le chérif Koraïm.
– Assaut. – Menou et Kléber blessés.
– L'Arabe Souliman. – Prise de la ville.
– L'armée se dispose à marcher sur Le Caire.
– Avant-garde commandée par Desaix.

Puissent les souvenirs de cette grande histoire
Consoler notre siècle, orphelin de la gloire !
Indolens rejetons d'aventureux soldats,
Suivons aux bords du Nil leurs gigantesques pas,
Dans ces déserts brûlans où montent jusqu'aux nues
Des sépulcres bâtis par des mains inconnues.

Soldats de l'Orient ! héros républicains,
Qu'a brunis le soleil de ses feux africains ;
Vous, dont le jeune Arabe, avide de merveilles,
Mêle souvent l'histoire aux fables de ses veilles [1] ;
Approchez, vétérans ! à nos foyers assis,

139

Venez, enivrez-nous d'héroïques récits ;
Contez-nous ces exploits que votre forte épée
Gravait sur la colonne où repose Pompée [2] ;
Reportez un instant sous les yeux de vos fils
Les tentes de la France aux déserts de Memphis !
Dites-nous vos combats, vos fêtes militaires,
Et les fiers Mamelucks aux larges cimeterres,
Et la peste, fléau né sous un ciel d'azur,
Des guerres d'Orient auxiliaire impur,
Et le vent sablonneux, et le brillant mirage [3]
Qui montre à l'horizon un fantastique ombrage ;
Déroulez ces tableaux à notre souvenir
Jusqu'au jour où, chargés des palmes d'Aboukir,
Vos bras ont ramené de l'Égypte lointaine
Et le drapeau d'Arcole et le grand capitaine.

★

Comme un camp voyageur peuplé de bataillons,
Qui dans l'immense plaine étend ses pavillons,
A la brise du Nord, une flotte docile
Sillonnait lentement les eaux de la Sicile ;
Sur les canons de bronze et sur les poupes d'or,
Brille un premier soleil du brûlant messidor :
Où vont-ils ? on l'ignore ; en ces mers étonnées
Un bras mystérieux pousse leurs destinées,
Et le pilote même, au gouvernail assis,
Promène à l'horizon des regards indécis [4].
Qu'importe aux passagers le secret du voyage ?
Celui qui vers le Tibre entraîna leur courage,
Sous les mêmes drapeaux les rallie aujourd'hui,
Et leur noble avenir repose tout en lui.

Parfois, des sons guerriers la magique harmonie
Appelait sur les ponts l'immense colonie :
Aux accords des clairons, des timballes d'airain,
Dix mille voix chantaient le sublime refrain
Qu'aux moments des assauts, ivres d'idolâtrie,
Répétaient nos soldats, enfans de la patrie ;
C'était l'hymne du soir... et sur les vastes flots
Les héroïques chants expiraient sans échos [5].

La flotte cependant, dans la mer agrandie,
Laissant Malte vaincue et la blanche Candie,
Pour la dernière fois a vu tomber la nuit ;
A la cime des mâts dès que l'aube reluit,
On voit surgir des flots la pierre colossale
Qu'éleva l'Orient au vaincu de Pharsale,
Et les hauts minarets dont le riche Croissant
Reflète dans son or les feux du jour naissant ;
Sur le pont des vaisseaux un peuple armé s'élance :
Immobile et pensif, il admire en silence
Ces déserts sans abris, dont le sol abaissé
Semble un pâle ruban à l'horizon tracé,
Les palmiers qui, debout sur ces tièdes rivages,
Apparaissent de loin comme des pins sauvages,
Et l'étrange cité qui meurt dans le repos,
Entre un double océan de sables et de flots [6].

Dans ce moment, l'escadre, en ceinture formée,
Entoure le vaisseau qui commande l'armée.
De chefs et de soldats de toutes parts pressé,
Sur la haute dunette un homme s'est placé :
Ses traits, où la rudesse à la grandeur s'allie,
Portent les noirs reflets du soleil d'Italie ;

Sur son front soucieux ses cheveux partagés,
Tombent négligemment sur la tempe allongés ;
Son regard, comme un feu qui jaillit dans la nue,
Sillonne au fond des cœurs la pensée inconnue ;
De l'instinct de sa force il semble se grandir,
Et sa tête puissante est pleine d'avenir !...
Debout, les bras croisés, l'œil fixé sur la rive,
Le héros va parler, et l'armée attentive
Se tait pour recueillir ces prophétiques mots,
Que mêle la tempête au son rauque des flots :
« Soldats, voilà l'Égypte ! Aux lois du cimeterre
« Les beys ont asservi cette héroïque terre ;
« De l'odieux Anglais ces dignes favoris
« A notre pavillon prodiguent le mépris,
« Et feignent d'ignorer que notre République
« Peut étendre son bras jusqu'aux sables d'Afrique :
« L'heure de la vengeance approche ; c'est à vous
« Que la France outragée a confié ses coups.
« Compagnons ! cette ville où vous allez descendre,
« Esclave de Mourad, est fille d'Alexandre ;
« Ces lieux, que le Coran opprime sous ses lois,
« Sont pleins de souvenirs, grands comme vos exploits.
« Le Nil long-tems captif attend sa délivrance ;
« Montrons aux Mamelucks les soldats de la France,
« Et du Phare à Memphis retrouvons les chemins
« Où passaient avant nous les bataillons romains [7] ! »
Il se tait à ses mots ; mais ses lèvres pressées
Semblent garder encor de plus hautes pensées [8].

Soudain mille signaux, élevés sur les mâts,
Au rivage d'Égypte appellent nos soldats.
Sur le pont des vaisseaux, dans leurs vastes entrailles,

Retentit un bruit sourd, précurseur des batailles,
Et de longs cris de joie élancés dans les airs
Troublent le lourd sommeil de ces mornes déserts.
On eût dit, aux transports de l'armée attendrie,
Qu'un peuple voyageur saluait sa patrie :
Par les sabords ouverts, par les câbles tendus,
Tous, de la haute poupe en foule descendus,
Pressés de conquérir ces rives étrangères,
Tombent en rangs épais dans les barques légères,
Et les canots, croisant leurs bleuâtres sillons,
Couvrent la vaste mer de flottans bataillons.

Quel fut le noble chef qui sur l'aride plaine
Descendit le premier comme dans son domaine ?
C'est Menou, qui, jouet d'un étrange destin,
Quittera le dernier ce rivage lointain ;
Bientôt, à ses côtés, de la rive s'élance
L'élite des guerriers déjà chers à la France :
Belliard, Bon, Davoust, Vaubois, Reynier, Dugua,
L'intrépide Rampon, le sage Dufalga [9] ;
Kléber, de ses cheveux secouant l'onde amère,
Des flots qui l'ont porté sort comme un dieu d'Homère ;
Il marche, et d'autres chefs s'avancent après lui :
Andréossy, Dumas, Verdier, Leclerc, Dumuy,
Lannes, qui de ce jour datait sa grande histoire ;
Marmont, dont l'avenir commençait par la gloire ;
Junot, qui, hors des rangs aventureux soldat,
De duels en duels éternise un combat ;
Berthier, du jeune chef le confident intime ;
Eugène Beauharnais, enfant déjà sublime,
Qui, de la République exemplaire soutien,
Vengeait le sang d'un père en répandant le sien.

Voilà Desaix : on lit sur son visage austère
Des antiques Romains la vertu militaire ;
De ses habits sans faste il proscrit l'appareil,
Il est calme au combat, sage dans le conseil,
Citoyen sous la tente, et son âme s'applique
A servir sans éclat la jeune République.
Quel est ce cavalier sur la selle affermi,
Qui, déjà tout armé, demande l'ennemi,
Et d'un triple panache ornant sa noble tête,
Semble accourir ici comme aux jeux d'une fête ?
C'est Murat ; dans les rangs d'un léger escadron
Jamais plus brave chef ne ceignit l'éperon ;
Des modernes combats dédaignant la tactique,
Il marche indépendant comme un guerrier antique,
Et souvent, loin des siens isolant ses exploits,
Provoque tout un camp du geste et de la voix ;
Partout on voit briller dans la poudreuse lice
Son casque théâtral, sa flottante pelisse ;
Ce costume pompeux qu'il revêt avec soin,
Comme un but éclatant le signale de loin ;
Et debout dans le choc des luttes inégales,
On dirait qu'il a fait un pacte avec les balles :
Va ! les champs de bataille, où tu sèmes l'effroi,
Seront contre la mort un refuge pour toi :
C'est ainsi que, vingt ans, ta vie aventurière
Passera sous les feux de l'Europe guerrière,
Achille de la France ! et le lâche Destin
Réserve à ta poitrine un plomb napolitain !

Les soldats, à la voix du père de l'armée,
Ont repris dans les rangs leur place accoutumée :
Les bras levés aux cieux, tous de leurs saints drapeaux

Contemplent en pleurant les glorieux lambeaux.
De ces noirs bataillons la plaine est obscurcie :
Des bords de l'Éridan, des monts de l'Helvétie,
On avait vu courir ce peuple de soldats,
Que l'homme du destin attachait à ses pas,
Et qui, d'un long exil oubliant la souffrance,
Près de leur jeune chef voyaient toujours la France.

Cependant Bonaparte, avare des momens,
A caché dans la nuit sa marche aux Musulmans ;
A peine la lueur qui dissipe les ombres,
Des monumens épars blanchissait les décombres,
Que l'écho solennel de la ville aux cent tours
Des bataillons français entendit les tambours ;
De leurs longs roulemens la foule épouvantée
Erre comme les flots d'une mer tourmentée ;
Sur le toit des maisons, les pâles habitans
Contemplent les drapeaux dans la plaine flottans,
Et des chiens vagabonds les meutes accourues
D'un lugubre concert font retentir les rues ;
Du haut des minarets, les aveugles Musseins [10]
Appellent les croyans sous les portiques saints ;
A leur dolente voix, les femmes convoquées
Inondent, en pleurant, le parvis des mosquées ;
Et dans de longs versets les farouches Imans
Recommandent l'Égypte au dieu des Musulmans.

Tandis qu'un peuple faible, égaré par la crainte,
D'Alexandrie en deuil remplit la vaste enceinte,
Les soldats du Prophète, au sommet des remparts,
Promènent, à grands cris, leurs soyeux étendards ;
Alors sont accourus cinq mille janissaires,

145

Du sultan de Stamboul superbes émissaires ;
Les Mores demi-nus, ouvrant les arsenaux,
Poussent les vieux canons sur le bord des créneaux ;
Le Maugrabin hideux, le Bédouin indocile,
Pour la première fois soldats dans une ville,
Des remparts menacés noircissent le contour ;
Et le fier Koraïm parait sur une tour.
Koraïm ! des chérifs que la cité révère
Nul n'exerça jamais un pouvoir plus sévère ;
Ce riche Musulman, tel qu'un prince absolu,
Marche presque l'égal des beys qui l'ont élu ;
Ses caïques légers, sous la voile latine,
Portent l'ambre et le musc d'Égypte en Palestine ;
Ses étalons guerriers, ses immenses troupeaux,
Du sinueux Delta foulent les verts roseaux,
Et trente eunuques noirs, sous la grille farouche,
Gardent dans ses harems les trésors de sa couche.
Hélas ! un bruit sinistre au lever du soleil,
De l'heureux Koraïm a pressé le réveil,
Et déjà, brandissant le sabre des batailles,
Il insulte aux chrétiens du haut de ses murailles.

L'armée en ce moment, serpent volumineux,
Autour d'Alexandrie a resserré ses nœuds.
Tout est prêt pour l'assaut ; les vieilles compagnies
Accourent en portant les échelles unies,
Les dressent dans les airs, et mille bras tendus
Appliquent sur les murs ces chemins suspendus :
Alors, vers tous les points que l'échelle menace,
Les soldats musulmans, la noire populace,
Accourent pêle-mêle, et leurs longs hurlemens
Ébranlent les cent tours dans leurs vieux fondemens.

Mais, à la voix des chefs soudain mêlant la sienne,
Le tambour a battu la charge aérienne,
L'hymne patriotique éclate dans les rangs ;
Les cymbales d'airain, les clairons déchirans,
Entonnant au désert leur guerrière fanfare,
Réveillent en sursaut le vieil écho du Phare ;
A ces cris, à ces chants, les bataillons mêlés
Se cramponnent aux murs à flots amoncelés ;
Une ligne de feu, qui jaillit sur leur tête,
Des tours et des créneaux illumine le faîte ;
Koraïm est partout ; son aveugle transport
Fournit au désespoir mille instrumens de mort ;
Le peuple entend sa voix : sa brutale industrie
Arrache les créneaux des tours d'Alexandrie,
Et quand ces larges blocs résistent à ses mains,
Alors, du haut des murs, les chapiteaux romains,
Les torses anguleux, les frises ciselées,
Les vieux sphinx de granit aux faces mutilées,
Tombent de bonds en bonds, et leurs vastes éclats
Sur l'échelle pliante écrasent les soldats.

Le premier à l'assaut, Menou, d'un vol agile,
Montre à ses grenadiers le chemin de la ville :
Tous le suivent des yeux ; teint de poudre et de sang,
Sur la plus haute tour il arrache un croissant :
« Attends ! » dit Koraïm ; de ses bras athlétiques
Il rompt le dur ciment des murailles antiques,
Et, sous le vaste bloc du rempart assailli,
Menou, deux fois blessé, retombe enseveli,
Au milieu des débris et des flots de fumée
Kléber est apparu ; le géant de l'armée
S'est frayé dans les airs d'audacieux chemins ;

Il embrasse une tour de ses puissantes mains ;
Déjà l'on distinguait à son immense taille
Le Germain colossal debout sur la muraille,
Quand un soldat farouche, Arabe basané,
Rampant sur les créneaux, jusqu'à lui s'est trainé ;
Souliman est son nom, sa patrie est Le Caire ;
C'est là que des Imans ont instruit le sicaire,
Qui, maigre d'abstinence et dévoré de fiel,
Par un meurtre éclatant veut conquérir le ciel [11] ;
Au moment où Kléber vers l'Arabe s'incline,
La dague du Séïde a frappé sa poitrine.
Il tombe, et les soldats, hors du poudreux fossé,
Portent, en frémissant, leur général blessé.

Tandis que sur les tours les enfans du Prophète
Par ce double succès retardent leur défaite,
Du fond de la cité, de lamentables cris
Étonnent Koraïm, vainqueur sur les débris ;
Loin du sanglant théâtre où son bras se signale,
Les Francs ont assailli la porte orientale ;
L'intrépide Marmont, une hache à la main,
Brise ses lourds battans semés de clous d'airain,
Et cette large issue, ouverte à sa colonne,
Semble un gouffre béant où la mer tourbillonne.
Tout a fui : les Français dominent les remparts :
Le pâle Koraïm, qu'entraînent les fuyards,
Tourne ses yeux troublés vers les tours sans défense,
Et voit sur leurs créneaux l'étendard de la France.

Ainsi ces bataillons, que le souffle des mers
Poussait la veille encor vers de lointains déserts,
Répétant aujourd'hui l'hymne de leur patrie,

Entrent victorieux aux murs d'Alexandrie.
Mais, avant de s'asseoir sur les rives du Nil,
Que de maux leur promet cette terre d'exil !
Qu'ils goûtent cependant dans la ville étrangère
D'un tranquille bivac la faveur passagère ;
Sous le toit de palmiers que leurs mains ont construit
Qu'en rêvant de leur gloire ils dorment cette nuit !
Demain, quand le soleil, du reflet de son disque,
Rougira le vieux Phare et le double obélisque [12],
Entourés de périls sans gloire et sans combats,
Ces guerriers sur le sable imprimeront leurs pas,
Et, dans les flots mouvans de la plaine enflammée,
Desaix, comme un pilote, appellera l'armée.
Puissent-ils, survivant à de longues douleurs,
Des gouffres du désert sauver les trois couleurs !
Puissent-ils, du grand fleuve atteignant les lisières,
Ouvrir leur bouche ardente à l'air frais des rizières [13],
Et montrer tout-à-coup, par la voix du canon,
La France inattendue aux enfans de Memnon !

Notes

1. Vous, dont le jeune Arabe, avide de merveilles,
   Mêle souvent l'histoire aux fables de ses veilles.

Il n'est pas étonnant que les traditions de notre campagne d'Orient varient à l'infini chez un peuple doué d'une imagination vive et mobile. La plus curieuse est celle qui a été recueillie dans une tribu d'Arabes sur les bords du golfe de Suez. Elle nous a été communiquée par M. Rey-Dusseuil, qui a étudié l'Égypte en historien et en poète.

Abou'l Féroué, proprement « homme à fourrure ». On l'appelle aussi Bounaberdi.

Il vint, il y a environ trente ans, en Égypte, avec une armée plus nombreuse que les fourmis, et plus terrible que la sauterelle : on évalue les forces qu'il y avait amenées avec lui à mille et une myriades, et l'on dit qu'il possédait le pouvoir de commander aux *djinn* ou génies. Ce qu'il y a de certain, c'est qu'il avait trouvé l'anneau de Salomon, au moyen duquel il comprenait le langage des oiseaux, et pouvait se transporter en un clin d'œil à des distances plus grandes que celle de la terre aux Pléiades. Tout le monde sait qu'on l'a vu le même jour au Caire et sous les murs de Jaffa.

On varie beaucoup sur les motifs de son expédition en Égypte. S'il faut en croire le bruit le plus accrédité et qui est le plus vraisemblable, il entreprit cette guerre dans le but d'enlever la maîtresse d'un Bey des Mamelucks. C'était, à ce qu'on dit, une femme circassienne d'une beauté admirable; sa figure ressemblait à une pleine lune, et sa taille à une branche de ban ; elle avait un nez comme la lettre ‏ا‎ (*élif*), des sourcils comme deux ‏م م‎ *noums* renversés, et une bouche plus petite que la lettre ‏م‎ *mim* ; en un mot elle pouvait saisir le héros le plus redoutable avec le lacet fait de l'un des cheveux de sa tresse, et le rendre son esclave à jamais.

Abou'l Féroué devint éperdument amoureux de cette beauté accomplie sur le rapport qu'un Cophte lui avait fait de ses charmes, et résolut de l'obtenir à tout prix. Il avait offert pour elle à son maître dix provinces et cent villes opulentes et peuplées; mais le Mameluck la lui refusa positivement, en disant qu'il ne donnerait jamais une musulmane à un homme qui croit en Dieu autrement que les disciples de Mahomet Ellédhi Jedj'alou Li'llaki Schérikan. Ce fut alors que Bounaberdi rassembla une grande armée avec laquelle il vint en Égypte pour conquérir la belle Circassienne. On sait qu'il y vainquit les Mamelucks et poussa ses conquêtes jusqu'à l'équateur et aux pays de Habesh et de Soudan ; mais, lorsqu'il fut en possession de celle qu'il adorait, cette femme sut lui faire comprendre qu'il vivait dans l'erreur, et Abou'l Féroué se fit aussitôt musulman avec toute son armée.

2. *Contez-nous ces exploits que votre forte épée*
   Gravait sur la colonne où repose Pompée.

Non loin d'Alexandrie, sur le bord de la mer, s'élève une colonne isolée, d'ordre corinthien, nommée *la Colonne de Pompée.* C'est le premier monument qu'on aperçoit de la pleine mer, quand on vogue vers l'Égypte.

3. *Et le brillant mirage*
   Qui montre à l'horizon un fantastique ombrage.

Le mirage est un effet d'optique fort commun dans les déserts de l'Égypte et de la Syrie ; le voyageur croit apercevoir à l'horizon, tantôt des ombrages, tantôt un lac, tantôt l'immensité de la mer ; mais à mesure qu'il s'avance vers ces buts tant désirés, tout s'évapore, et l'illusion du voyageur s'évanouit. Nous avons remarqué le même phénomène dans les plaines de *la Cau,* près d'Arles.

« On voyait, à certaine distance devant soi, comme une immense plage d'eau, sous la forme d'un lac où semblaient se réfléchir les nuages, les monticules de sables et les inégalités du terrain qui l'environnaient. Trompés par cette vision, les soldats haletans pressaient leur marche ; mais, par un effet qui augmentait encore l'amertume de leur situation, le lac bienfaisant, où ils croyaient étancher leur soif, semblait fuir devant eux, et se montrait toujours à la même distance. L'armée éprouva ainsi, pendant quelque temps, le supplice de Tantale, par un espoir toujours renaissant et toujours déçu. Ce phénomène, assez ordinaire dans les plaines sablonneuses et alkalines du sol brûlant d'Afrique, est connu en physique sous le nom de *mirage*. »

(*Victoires et conquêtes*, tom. IX.)

4. *Et le pilote même, au gouvernail assis,*
   Promène à l'horizon des regards indécis.

C'est la vérité historique ; l'armée ignorait non seulement quels ennemis elle allait combattre, mais encore le lieu qui devait être le théâtre de ses futurs exploits. La confiance envers le jeune général était si grande, que chaque soldat se livrait, sans nul souci de l'avenir, à cette gaieté bruyante qu'inspire un premier voyage sur mer.

5. *Les héroïques chants expiraient sans échos.*

Le soir, quand le temps était beau et la mer calme, la musique des régimens exécutait les airs guerriers de l'époque, auxquels se joignaient les chants de l'armée républicaine.

6. *Et l'étrange cité qui meurt dans le repos,*
   Entre un double océan de sables et de flots.

Aucune ville n'offre un aspect plus désolé qu'Alexandrie vue de la pleine mer. La mort semble régner sur cette plage, nue, basse, sablonneuse, où toute végétation expire entre les vagues et le désert.

7. *Retrouvons les chemins*
   Où passaient avant nous les bataillons romains.

Toutes ces paroles sont historiques ; ce discours renferme le sujet du poëme.

8. *Il se tait à ces mots ; mais ses lèvres pressées*
   Semblent garder encor de plus hautes pensées.

Nous n'avons voulu envisager l'expédition que sous son rapport le plus poétique, la destruction des Mamelucks et l'affranchissement de l'Égypte ; il est impossible de douter aujourd'hui que Bonaparte n'ait attaché une bien plus haute importance à cette expédition. Voici comment s'exprime à ce sujet M. Thiers, dans son admirable *Histoire de la Révolution française* :

« Les grands génies qui ont regardé la carte du monde, ont tous pensé à l'Égypte. On en peut citer trois : Albuquerque, Leibnitz, Bonaparte. Albuquerque avait senti que les Portugais, qui venaient d'ouvrir la route de l'Inde par le cap de Bonne-Espérance, pourraient être dépouillés de ce grand commerce, si on se servait du Nil et de la mer Rouge. Aussi avait-il eu l'idée gigantesque de détourner le cours du Nil, et de le jeter dans la mer Rouge, pour rendre à jamais la voie impraticable, et assurer éternellement aux Portugais le commerce de l'Inde. Vaines prévoyances du génie, qui veut éterniser toutes choses dans un monde mobile et changeant ! Si le projet d'Albuquerque eût réussi, c'est pour les Hollandais, et plus tard pour les Anglais, qu'il eût travaillé. Sous Louis XIV, le grand Leibnitz, dont l'esprit embrassait toutes choses, adressa au monarque français un mémoire qui est un des plus beaux monumens de raison et d'éloquence politiques. Louis XIV voulait pour quelques médailles envahir la Hollande : « Sire, lui dit Leibnitz, ce n'est pas chez eux que vous pourrez vaincre ces républicains ; vous ne franchirez pas leurs digues, et vous rangerez toute l'Europe de leur côté. C'est en Égypte qu'il faut les frapper. Là, vous trouverez la véritable route du commerce de l'Inde ; vous (...)

Ce sont ces vastes pensées, négligées par Louis XIV, qui remplissaient la tête du général républicain. »

9. *Le sage Dufalga.*

Dans ce dénombrement, calqué sur l'histoire, quelques noms, très honorables sans doute, ont été oubliés ; mais il n'entrait pas dans notre plan de les mentionner ici.

10. *Les aveugles Musseins.*

En Turquie et dans les pays soumis à la domination ottomane, on appelle Muezzins ou Musseins, ceux qui, du haut des minarets, annoncent au peuple les heures de la prière ; on choisit, pour ces emplois, des aveugles, de crainte qu'ils ne puissent voir les femmes sur les terrasses des maisons. Ces Musseins sont obligés de monter cinq fois par jour dans les galeries aériennes des mosquées, savoir : au lever de l'aurore, à midi, à trois heures, au coucher du soleil, et environ deux heures après. Voici les mots qu'ils font entendre par intervalles :

Allah' u ekber ! Esch' hed u enné la ilah' il Allah ! esch' hed' u enné Mohammed ressouli' Allah ! Hayyé al' es selath ! Hayyé el' el selath. Ve Allah' u ekber ! la ilah' ; il

Allah ! C'est-à-dire : Dieu très haut ! J'atteste qu'il n'y a point de Dieu, sinon Dieu ; J'atteste que Mohammed est le prophète de Dieu ! Venez à la prière, venez au temple du salut ! Grand Dieu ! Il n'y a point de Dieu sinon Dieu !

11. Par un meurtre éclatant veut conquérir le ciel.

Le brave Kléber fut blessé à l'assaut d'Alexandrie ; à l'aide d'une fiction, qui n'a rien de contraire à l'esprit de l'histoire, nous lui avons donné pour adversaire opiniâtre, ce farouche Souliman qui, plus tard, devait être son assassin.

12. Rougira le vieux phare et le double obélisque.

Le phare d'Alexandrie est aujourd'hui en ruines ; mais ses débris conservent encore un caractère de grandeur qui étonne. Non loin du phare s'élevaient les deux obélisques nommées Aiguilles de Cléopâtre ; une d'elles est aujourd'hui couchée sur le sable.

13. Ouvrir leur bouche ardente à l'air frais des rizières.

On appelle ainsi ces vastes champs de riz qu'on rencontre sur le Delta, en remontant le Nil, et dans le voisinage du Caire.

Les Pyramides

Les plaines du Caire au lever de l'aurore.
– Les Pyramides de Ghizé. – Arrivée de l'armée
française devant les Pyramides.– Proclamation
de Bonaparte. – Mourad-Bey sur les hauteurs
d'Embabeh. – Dénombrement de l'armée égyptienne.
– Portrait de Mourad ; son discours aux Mamelucks.
– Premier choc de la cavaleriecontre les carrés.
– Incidens de la bataille. – Déroute des Mamelucks.
– Épisode de Sélim. – Fuite de Mourad-Bey dans le désert.

C'était l'heure où jadis l'aurore au feu précoce,
Animait de Memnon l'harmonieux colosse ;
Elle se lève encor sur les champs de Memphis,
Mais la voix est éteinte aux lèvres de son fils ;
Les siècles l'ont vaincu : l'œil reconnaît à peine
Le géant de granit, étendu sur l'arène ;
Il semble un de ces rocs que, de sa forte main,
La nature a taillés en simulacre humain [1] !
L'Arabe en ce moment, le front dans la poussière,
Saluait l'Orient, berceau de la lumière ;
Elle dorait déjà les vieux temples d'Isis,
Et les palmiers lointains des fraîches oasis ;

157

Une blanche vapeur, lentement exhalée,
Traçait le cours du Nil dans sa longue vallée :
Le brouillard fuit ; alors apparaissent aux yeux
Ces monts où Pharaon dort avec ses aïeux ;
Sur l'océan de sable, archipel funéraire,
Ils gardent dans leurs flancs un poudreux reliquaire,
Et, cercueils immortels de ce peuple géant,
Élèvent jusqu'aux cieux la pompe du néant [2] !
Cependant le tambour, au roulement sonore,
Annonce que l'armée arrive avec l'aurore :
A l'aspect imprévu des merveilleux débris,
Un saint recueillement pénétra les esprits ;
Et nos fiers bataillons, par des cris unanimes,
Des tombeaux de Chéops saluèrent les cimes.
Inspiré par ces lieux, le chef parle, et ces mots
Dans l'armée attentive ont trouvé mille échos :
« Soldats, l'heure est venue où votre forte épée
« Doit briser de Mourad la puissance usurpée :
« Des tyrans Mamelucks le dernier jour à lui !
« Dans le feu du combat songeons tous aujourd'hui
« Que, sur ces monumens si vieux de renommée,
« Trente siècles debout contemplent notre armée ! »
Il a dit ; aux longs cris qui résonnent dans l'air,
Se mêle un bruit d'airain froissé contre le fer ;
Et ce fracas guerrier, perçant la plaine immense,
Révèle à Mourad-Bey les soldats de la France.

Le chef des Mamelucks, de leur approche instruit,
Sur les dunes de sable a campé cette nuit ;
Embabeh voit briller sur la cime des tentes
L'étendard du Prophète aux crinières flottantes ;
Et ce camp populeux, sur les hauteurs tracé,

Semble un vaste croissant de canons hérissé.
Là veillent les spahis, les fougueux janissaires,
Des peuples d'Occident éternels adversaires ;
Dix mille Mamelucks, au vol précipité,
Du désert sablonneux couvrent la nudité ;
D'autres du Nil voisin ont bordé le rivage :
Ils refoulent à gauche une horde sauvage
De Grecs, d'Arméniens, de Cophtes demi-nus,
D'Africains arrivés de pays inconnus,
De paisibles Fellahs, tourbe indisciplinée,
Par la peur du bâton au péril condamnée ;
D'Arabes vagabonds que l'espoir du butin
Autour des Mamelucks rallia ce matin :
Ces nomades soldats pressent leurs rangs timides
Des tentes de Mourad au pied des pyramides.

Bonaparte s'avance, et son regard, si prompt,
De la ligne ennemie a mesuré le front ;
Son génie a jugé le combat qui s'apprête,
Un plan vainqueur jaillit tout armé de sa tête :
D'agiles messagers, sous les canons tonnans,
Portent l'ordre du chef à tous ses lieutenans,
Et bientôt à leur voix l'obéissante armée,
En six carrés égaux dans la plaine est formée [3].

D'épouvantables cris ont troublé le désert :
De l'enceinte du camp, sous leurs pas entr'ouvert,
Des hauteurs d'Embabeh, peuplé de janissaires,
Accourent au galop Mourad et ses vingt frères ;
Déjà le Bey superbe a parcouru trois fois
Les rangs des Mamelucks alignés à sa voix :
Qu'il est brillant d'orgueil ! Jamais fils de Prophète

N'avait paru plus beau sous son habit de fête ;
Une aigrette mobile, aux rubis ondoyans,
Orne son turban vert, respecté des croyans ;
Sur sa mâle poitrine, où le Croissant éclate,
Pendent les boutons d'or de sa veste écarlate ;
Un large cachemire, en ceinture roulé,
Supporte un atagan au fourreau ciselé ;
Sa main brandit un sabre, et sur sa haute selle
D'un double pistolet la poignée étincelle [4].
Les chefs suivent ses pas ; l'éclatant cavalier,
D'un geste impérieux à sa main familier,
A fait taire la foule en long cercle épaissie ;
Mourad s'est écrié : « Fils de la Circassie,
« De la loi du Prophète invincibles soutiens,
« Les voilà devant vous, ces odieux chrétiens ;
« Étrangers sans abris, comme une écume immonde
« La mer les a jetés sur l'Égypte féconde ;
« Rebut de leur pays, en ce climat lointain,
« Ils viennent se gorger d'amour et de butin ;
« Déjà maîtres du Nil, dans leurs folles pensées,
« Ils pillent nos moissons sur la rive entassées,
« Soumettent vos coursiers à leurs indignes mors,
« De nos chastes sérails profanent les trésors,
« Et, blasphémant de Dieu la puissance invoquée,
« Frappent son peuple saint dans la grande mosquée.
« Eh ! quels bras impuissans pour d'aussi grands desseins !
« Voyez ces cavaliers, ces pâles fantassins,
« Qui, vaincus par la marche et déjà hors d'haleine,
« Fondent sous un soleil qui nous échauffe à peine ;
« Et ces chevaux chrétiens, fils de pères sans noms,
« Tout palpitans de crainte au seul bruit du canon !
« Que béni soit Allah ! sa colère allumée

« Au sabre de ses fils condamne cette armée ;
« Sa main droite a jeté ces indignes rivaux
« Comme la paille sèche aux pieds de nos chevaux.
« Obéissons à Dieu ! Ce soir, ivre de fêtes,
« Le Caire illuminé contemplera leurs têtes ;
« Et l'insolente Europe apprendra par nos coups
« Que l'Égypte est esclave et n'obéit qu'à nous.
« Marchons, gloire aux croyans et mort aux infidèles ! »

Comme le vent de feu, dont les immenses ailes,
Du mobile désert tourmentant les vallons,
Précipitent l'arène en larges mamelons,
Ainsi des Musulmans l'impétueuse masse
Du Nil aux rangs chrétiens a dévoré l'espace.
On dit qu'au premier choc de ces fiers circoncis,
Les vieux républicains pâlirent, indécis [5] !
Jamais dans l'Italie, aux glorieuses rives,
Ni les Germains couverts de cuirasses massives,
Ni des légers Hongrois les poudreux tourbillons,
N'avaient d'un pareil choc heurté nos bataillons.
La profonde colonne, un instant ébranlée,
Vit le fer de Mourad luire dans la mêlée ;
Mais, à la voix des chefs, déjà les vétérans
Sur la ligne rompue ont rétabli les rangs.
Ainsi, dans ces marais où les hardis Bataves
A l'Océan conquis imposent des entraves,
Quand la vague, un moment, par de puissans efforts,
De son premier domaine a ressaisi les bords,
L'homme accourt, et bientôt une digue nouvelle
Montre aux flots repoussés sa barrière éternelle.
Dites quel fut le chef qui, sur ses régimens,
Vit luire le premier les sabres ottomans ?

161

Toi, vertueux Desaix ! au point d'être entamée,
Déjà ton dévoûment nous sauvait une armée.
Dans les carrés voisins, le soldat raffermi,
Du même front que toi regarde l'ennemi ;
Il revient plus terrible, et, dans la plaine immense,
Sur six points isolés le combat recommence.
Déjà les Mamelucks, lancés de toutes parts,
Assiègent des chrétiens les mobiles remparts ;
Tantôt, pressant le vol du coursier qui le porte,
Mourad devant les rangs passe avec son escorte,
Et le geste insolent du hardi cavalier
Provoque le plus brave en combat singulier ;
Tantôt sa voix, pareille à l'ouragan qui tonne,
De tous les Mamelucks formant une colonne,
Sous la ligne de feu les pousse en bonds égaux,
Et cet amas confus d'hommes et de chevaux
Résonne sur le fer des carrés intrépides,
Comme un bloc de granit tombé des pyramides ;
Partout la baïonnette et les longs feux roulans,
Des fougueux Mamelucks arrêtent les élans ;
Et, telle qu'un géant sous la cotte de maille,
L'armée offre partout sa puissante muraille.
Gloire à Napoléon ! on dirait que son bras
Par des chaînes de fer a lié ses soldats,
Et que son art magique, en ces plaines mouvantes,
A bâti sur le roc six redoutes vivantes.
Français et Mamelucks, tous ont les yeux sur lui ;
Au centre du combat, qu'il est grand aujourd'hui !
Sur son cheval de guerre il commande, et sa tête,
Sublime de repos, domine la tempête :
Mourad l'a reconnu. « Bey des Francs, lui dit-il,
« Sors de tes murs de fer, viens sur les bords du Nil ;

« Et là, seuls, sans témoins, que notre cimeterre
« Dans un combat à mort dispute cette terre ! »
A ces cris de Mourad, vingt braves réunis
Frémissent de laisser tant d'affronts impunis ;
A leur tête Junot, Lanne, Berthier, La Salle,
Du centre aux ennemis vont franchir l'intervalle ;
En même tems, au flanc des bataillons froissés,
Six mille Mamelucks tombent à flots pressés ;
C'est l'heure décisive : un signal militaire
Tonne, et, comme l'Etna déchirant son cratère,
L'angle s'ouvre, et soudain, sur les rangs opposés,
Le canon a vomi ses arsenaux brisés ;
Les grêlons, échappés à leur bouche qui gronde,
Volent avec le feu dans la masse profonde,
Et sous les pieds sanglans des six mille chevaux,
La mitraille a passé comme une immense faux.

Jour de mort et de deuil, où l'Égypte étonnée
Vit de ses Mamelucks l'élite moissonnée !
A ses plus braves chefs Mourad a survécu :
Quel œil reconnaîtrait le superbe vaincu ?
Sous la poudre et le sang qui sillonnent sa face,
On voit briller encore une farouche audace ;
Haletant de fatigue, il ne tient qu'à demi
Le tronçon d'un damas brisé sur l'ennemi,
Et quitte en soupirant ces plaines funéraires,
Qu'inonda sous ses yeux le sang de ses vingt frères.

De ces héros, tombés pour l'honneur du Croissant [6],
Un seul restait debout : guerrier adolescent,
Jamais, jusqu'à ce jour, son audace contrainte,
Du Caire paternel n'avait franchi l'enceinte ;

Du fond de ses jardins, verdoyante prison,
Il contemplait le Nil fuyant à l'horizon.
Ou, près d'une ottomane, appelant ses captives,
Il enivrait ses yeux de leurs danses lascives.
Allah lui réservait un plus noble destin !
Les femmes du sérail ont pleuré ce matin :
Elles ont vu Sélim, sur son cheval de guerre,
Brandir, en souriant, un large cimeterre,
Et voler pour rejoindre, aux heures du péril,
Ses vingts frères, campés sur les rives du Nil ;
Ses vingts frères... Hélas ! la voix de leur Prophète
Les avait conviés à leur dernière fête !
En vain le peuple en deuil, à la chute du jour,
Sous les portes du Caire, attendra leur retour ;
Ils ont vécu ! Sélim compte, d'un œil farouche,
Leurs cadavres tombés sur la sanglante couche,
Et qui, la veille encor de ce jour éternel,
Déposaient sur son front un baiser fraternel.
« Dieu le veut ! » a-t-il dit, et son âme oppressée,
D'un désespoir sublime a conçu la pensée :
Du milieu des fuyards, il appelle à grands cris
Quarante Mamelucks, formidable débris,
Qui sur les rangs français, dans les charges fatales,
Avaient poussé vingt fois leurs agiles cavales.
« Amis ! dit-il, tirez vos sabres flamboyans,
« Allons mourir ; que Dieu soit en aide aux croyans ! »
A ces mots, entraînant cet escadron d'élite,
Vers le front de Desaix Sélim le précipite,
Et, le premier de tous, sur le rempart d'acier,
Fait voler par élans son rapide coursier :
Tel un obus, vomi par le bronze qui tonne,
Laboure dans ses bonds l'immense polygone.

Tous arrivent de front ; devant les fantassins
Ils fixent brusquement leurs coursiers abissins ;
Le mors impérieux qui les pousse en arrière,
Les force à se cabrer sur la triple barrière,
Et, dans le bataillon ébranlé sous leur poids,
Les quarante chevaux retombent à la fois ;
Impuissant désespoir ! la ligne de l'armée,
Comme un ressort pliant, sur eux s'est refermée,
Et ce carré de fer, qu'ils viennent d'entr'ouvrir,
Est l'arène fatale où tous doivent mourir.
On dit que, pour venger leur défaite impunie,
Ces guerriers, signalant leur farouche agonie,
Sanglans, percés de coups, sous les chevaux foulés,
Ressuscitaient encor leurs tronçons mutilés ;
Au festin de la mort, effroyables convives,
Ils mordaient nos canons de leurs dents convulsives,
Et rampant sur le sable, un poignard à la main,
Jusqu'aux pieds de Desaix se frayaient un chemin.
Enfin l'ange de mort les touche de son aile ;
Leurs yeux, déjà pressés par la nuit éternelle,
Cherchent en vain Sélim ; ils l'appellent : leurs voix
Murmurent au désert pour la dernière fois !
Et ces nobles amis, victimes volontaires,
Meurent en embrassant leurs coursiers militaires.
Ah ! si les Mamelucks, tant de fois repoussés,
Ramenant au combat leurs restes dispersés,
Du généreux Sélim avaient suivi la trace,
La victoire aurait pu couronner tant d'audace,
Et sous le joug de fer de ses Beys absolus,
Le Caire aurait langui, peut-être, un jour de plus !

Tout a fui : des vaincus l'ondoyante mêlée
Couvre du vieux Memphis la plaine désolée :
Et la pâle Épouvante, au conseil incertain,
Leur indique, en tout sens, un refuge lointain ;
Des timides Fellahs les bandes vagabondes
Gagnent du Mokatan les carrières profondes ;
D'autres, du large fleuve entr'ouvrant les roseaux,
Abandonnent leur vie au courant de ses eaux ;
Infortunés ! en vain, refoulés sur ses rives,
Ils embrassent du Nil les ondes fugitives :
Du rivage envahi, de longs feux soutenus
Atteignent, sous les flots, les nageurs demi-nus.
Quand la nuit s'effaça, la diligente aurore
Vit du sang des vaincus le fleuve rouge encore ;
Sur le Nil limoneux on vit flotter long-tems
Les turbans déroulés, les splendides caftans,
Les pelisses dont l'or dessine les coutures ;
Les housses des chevaux, les soyeuses ceintures,
Et ces flottans débris, que la vague apporta,
Contèrent la bataille aux peuples du Delta.

Ainsi le fier Mourad, dans sa fuite hâtée,
Abandonne aux chrétiens la plaine ensanglantée,
Il s'arrête parfois : ses regards incertains
Cherchent à l'horizon ses pavillons lointains,
Et le mont sablonneux où, debout dès l'aurore,
Sa tente était si belle, au pied du sicomore :
Peut-être, en ce moment, dans le sérail d'Hellé,
Le secret de sa couche est déjà révélé,
Et, dans son propre lit, ses femmes demi-nues
Subissent sans effroi des lèvres inconnues !!!
Déchirant souvenir ! Tandis que, sur ses pas,

Hurlent les Mamelucks échappés au trépas,
Lui, soumis sans murmure aux décrets du Prophète,
Marche comme courbé du poids de sa défaite,
Et bientôt le désert offre à ces grands débris
Son océan de sable et ses vastes abris.

Pour harceler Mourad, que sauve la fortune,
Junot va s'élancer sur la brûlante dune ;
Mais la voix du tambour proclame le repos :
Alors un grenadier, vieilli sous les drapeaux,
Saisit un étendart qu'à déchiré la balle,
Et gravit de Chéops la tombe colossale ;
Par les gradins détruits et de sable couverts,
Par les angles brisés, il monte dans les airs ;
Et d'un sublime effort, tout palpitant encore,
Plante sur le sommet le drapeau tricolore.
Soudain du camp français un long frémissement
Salua, par trois fois, l'antique monument.
Vous eussiez dit qu'alors tous les rois Ptolémée
Sortaient de leurs cercueils pour voir la grande armée ;
Que les morts, dépouillant un suaire en lambeaux,
Quittaient Nécropolis, la ville des tombeaux [7],
Et, gravement posés sur des assises noires,
Dans la langue d'Isis célébraient nos victoires :
Tout de la vieille Égypte annonçait le réveil ;
Le ciel était d'azur, l'air calme, et le soleil
Semblait, en s'abîmant dans les gouffres humides,
Sourire à l'étendard qui flotte aux pyramides.

Notes

1. *La nature a taillés en simulacre humain.*

La statue colossale de Memnon, si célèbre dans la fable et l'histoire, n'est, selon les uns, qu'un monument élevé à la gloire d'Osimandias, roi de Thèbes. C'est sur le pied de ce colosse qu'est gravée la double inscription dont nous avons parlé dans notre Préface, et qui a été recueillie, au mois de juillet dernier, par l'infatigable M. Taylor. La statue de Memnon fut renversée et mutilée par les soldats de Cambyse, ce grand dévastateur des monumens égyptiens.

2. *Elèvent jusqu'aux cieux la pompe du néant.*

Tout a été dit sur les Pyramides ; en parler encore, serait inutile ici. M. de Chateaubriand est de tous les écrivains celui qui a dit les plus grandes choses sur ces monumens. Aussi, c'est toujours avec un vif sentiment de plaisir que les voyageurs français lisent son nom gravé sur la plus haute assise de la pyramide de Chéops.

3. L'obéissante armée,
   En six carrés égaux dans la plaine est formée.

Bonaparte forma son armée en six carrés à la bataille des Pyramides, et contre eux vinrent se briser toutes les charges des Mamelucks : pendant l'action, il était visible à tous les yeux, au centre du carré de Dugua.

4. D'un double pistolet la poignée étincelle.

Mourad-Bey, chef célèbre de Mamelucks, né en Circassie vers 1759. Il suffirait à la gloire de ce musulman, et ce serait une garantie suffisante de durée pour son nom, d'avoir eu à combattre les deux premiers hommes de guerre des temps modernes, Napoléon et Kléber ; mais indépendamment de cet accident heureux de sa destinée, ce barbare, supérieur aux siens en grandeur d'âme et en lumières, aurait pu s'illustrer par des faits tout personnels. Mourad était un jeune Mameluck de la maison d'Aly-Bey, le premier qui, voulant se rendre absolument indépendant de la Porte-Ottomane, s'était efforcé d'établir l'autorité d'un seul despote sur les tyrannies concurrentes des vingt-quatre beys du pacha et des corps ottomans qui se disputaient l'administration de la malheureuse Égypte. Aly-Bey, parvenu à se débarrasser de tous ses rivaux, avait trouvé un compétiteur inattendu dans la personne d'Abou-Dahab, son lieutenant, qui l'avait trahi ; une seconde trahison assura la victoire à celui-ci, et cette trahison, ouvrage de Mourad-Bey, qui est le sujet de cette notice, fut la première cause de l'élévation de ce dernier. Voici comment on raconte cette première partie de son histoire : Mourad, qui avait appartenu dans son enfance au bey Abou-Dahab, était devenu éperdument amoureux de la Géorgienne Sitty Néficals, épouse d'Aly-Bey, son nouveau maître. Subjugué par cette passion fatale, il ne voit que dans la destruction d'Aly l'espoir de la satisfaire ; et abandonnant, à la faveur des ténèbres, le camp de celui-ci, il court offrir ses services à l'autre bey Abou-Dahab. « Ton ennemi, lui dit-il doit passer avec son armée par un défilé où sa perte est inévitable si l'on peut l'y arrêter à temps. Je m'offre à toi : si je réussis, je ne te demande qu'une grâce, donne-moi la belle Sitty Néficals. » Abou-Dahab accepta avec joie ce secours inespéré, et Mourad alla s'embusquer avec six mille Mamelucks dans les palmiers de Sallyels. Aly-Bey hésita long-temps avant de s'engager dans cet étroit passage ; ses éclaireurs l'avaient averti du péril. Mourad, impatient de le joindre, se disposait à l'aller chercher, lorsque l'imprudent bey vint enfin tomber dans le piège qu'on lui avait tendu. Les soldats d'Aly, étonnés de l'attaque, lâchèrent pied ; cependant leur chef les rallia deux fois, et il était sur le point de se saisir de la victoire, lorsque Mourad fondit sur lui, et, d'un coup de sabre lui partageant le visage, l'abattit de son cheval. A la vue de son bienfaiteur étendu sur le sable, le Mameluck sentit la pointe du remords, et ne put retenir ses larmes. « Pardonne-moi, lui dit-il, oh ! pardonne-moi, mon maître ; je ne t'avais pas reconnu. » Aly fut transporté au Caire. Sa blessure n'était pas mortelle, mais Abou-Dahab en fit empoisonner l'appareil. Mourad hérita de son harem et de ses biens. Tels furent, selon l'auteur d'un excellent précis de l'histoire d'Égypte, dont nous avons emprunté le récit (M. Rey Dusseuil), les commencemens peu honorables de Mourad. La mort de son patron, et celle d'Abou-Dahab, qui eut lieu peu de temps après, laissèrent Mourad l'homme le plus puissant de l'Égypte. Le seul rival qu'il pût avoir à redouter était Ibrahim-Bey ; mais, grâce à la nécessité de maintenir leur commune usurpation contre la politique de la Porte, la bonne intelligence subsistait encore entre eux lorsque les Français arrivèrent en Égypte. A la première nouvelle de cette invasion, Mourad-Bey n'avait envoyé à la rencontre des Français qu'une partie de la milice dont il était le chef suprême. Il quitta bientôt après le village de Ghizé, où il faisait sa résidence habituelle, pour se rendre au Caire, dans l'intention de se venger, sur les négocians français qui se trouvaient dans cette ville, de l'agression des soldats de leur nation ; mais détourné de cette résolution barbare par le conseil d'un Vénitien nommé Rosetti, qu'il avait auprès de lui, il se contenta d'imposer à ces négocians une contribution de quelques milliers de piastres. Ce fut à Chebreis que les Mamelucks furent pour la première fois rencontrés et battus par les Français. A la nouvelle de cet échec, Mourad, rempli de fureur, ne négligea pourtant aucun des moyens que lui fournissaient son ascendant personnel et ses talens pour le réparer. Il chercha à relever le courage des Mamelucks ; et, leur rappelant tant de victoires par eux remportées sur les Turcs et les Arabes, il leur dit de se souvenir également qu'ils étaient regardés comme la première cavalerie de l'univers. Il leur représenta l'armée française harassée de fatigues, mourant de faim, et facile à exterminer en réunissant toutes leurs forces contre elle. Les dispositions prises par Mourad, à la bataille des Pyramides, étaient formidables, de l'aveu même de son adversaire, (voyez les *Mémoires de Napoléon*, tome I) ; ses forces montaient à soixante mille hommes, y compris l'infanterie et les hommes de pied qui servaient chaque cavalier. « Nous connaissions et redoutions beaucoup, dit Napoléon, l'habileté et l'impétueuse bravoure des Mamelucks. » Ils furent cependant battus une troisième fois. « Mourad-Bey, dit l'historien conquérant en faisant le récit de cette brillante et mémorable journée, n'avait aucune habitude de la guerre ; mais la nature l'avait doué d'un gand caractère, d'un courage à toute épreuve et d'un coup-d'œil pénétrant. Les trois affaires que nous avions eues avec les Mamelucks lui servaient déjà d'expérience, et dans cette journée il se conduisit avec une habileté qu'on pourrait à peine attendre du général européen le plus consommé. » Quoi qu'il en soit, de cette armée de soixante mille hommes, il n'échappa que deux mille cinq cents cavaliers avec Mourad-Bey. Plusieurs milliers de ses soldats, en essayant de traverser le Nil, y furent engloutis. Retranchemens, artillerie, pontons, bagages, tout tomba au pouvoir des Français, et les nombreux cadavres qu'emporta le cours du fleuve portèrent en peu de jours jusqu'à Damiette et Rosette, et le long du rivage, la nouvelle de notre victoire. Ce ne fut que long-temps après sa fuite, que Mourad-Bey s'aperçut qu'il n'était suivi que par une partie de son monde, et qu'il reconnut la faute qu'avait faite sa cavalerie de rester dans le camp retranché. Il essaya plusieurs charges pour lui rouvrir un passage, mais il était trop tard ; les Mamelucks eux-mêmes avaient la terreur dans l'âme, et agirent mollement. « Les destins, dit Napoléon, avaient prononcé la destruction de cette brave et intrépide milice, sans contredit l'élite de la cavalerie de l'Orient. »

Nous avons extrait ce fragment de l'excellente notice sur Mourad-Bey, publiée par M. Alphonse Rabbe. Les étroites proportions de ces notes ne nous permettent pas de citer en entier ce morceau, où brille le talent d'un écrivain placé à juste titre parmi nos premiers historiens.

5. *Les vieux républicains pâlirent, indécis.*

Le premier choc des Mamelucks contre les carrés fut si terrible, que le courage des Français en fut ébranlé un instant ; c'est ce qui nous a été raconté par plusieurs acteurs de ce magnifique drame.

6. *De ces héros tombés pour l'honneur du Croissant,*
   Un seul restait debout.

« Un bey se dévoua, avec quarante de ses Mamelucks, de la manière la plus héroïque, pour ouvrir un passage à Mourad. Ils acculèrent leurs chevaux contre les baïonnettes des grenadiers et les renversèrent sur eux. Par là, ils parvinrent à faire une brèche dans le carré ; mais elle se referma aussitôt ; ils périrent tous ; il en vint mourir une trentaine aux pieds de Desaix. »

(Thibaudeau, *Histoire de Napoléon.*)

Ce dévouement héroïque des quarante Mamelucks nous a été raconté par M. le général Gourgaud, qui possède, dans ses moindres détails, l'histoire de cette merveilleuse campagne.

7. Quittaient Nécropolis, la ville des tombeaux.

C'est le texte avec la traduction ; c'est une redondance poétique. Nous l'avons empruntée à M. de Chateaubriand :

> « Nécropolis, cité des morts aussi grande que celle des vivans. »
> (*Les Martyrs.*)

Toutes les villes de l'Égypte ont aussi leur nécropolis ; c'est le cimetière.

Chronologie succinte de la campagne d'Égypte
1797 – 1801

1797

16 août : Napoléon Bonaparte au Directoire : « Pour détruire véritablement l'Angleterre, il faut nous emparer de l'Égypte ! »

Novembre : « Si je ne puis être le maître, je quitterai la France ! » (Bonaparte, général en chef de l'armée d'Italie)

Décembre : Bonaparte est élu membre de l'Institut, à Paris.

1798

Janvier : « Je n'ai plus de gloire ici (...) Il faut aller en Orient ! » (Bonaparte à son ami Bourrienne)

Mars : Le Directoire demande à Bonaparte de conquérir l'Égypte.

19 mai : Bonaparte s'embarque pour l'Égypte à Toulon à bord de *L'Orient*. L'expédition comporte 150 savants et artistes. A bord de plus de 400 bateaux, les soldats ne sont pas informés de la destination finale.

23 mai : Apprenant le départ de l'escadre française, et croyant qu'elle est destinée à l'Irlande, les Irlandais-Unis organisent une insurrection contre les Anglais. Elle sera écrasée en deux mois au prix de 35 000 morts.

9 juin : L'escadre française et le convoi qu'elle escorte arrivent devant Malte. Le grand maître de l'Ordre, un Allemand, Hompesch, ne dispose pour la défense de l'archipel que de 332 chevaliers, dont 200 Français, parmi lesquels certains sont acquis à Bonaparte.

10 juin : Les troupes françaises débarquent à Malte.

11 juin : L'Ordre de Malte capitule et renonce, en faveur de la France, à ses droits de souveraineté sur l'archipel. Bonaparte fait de Malte la base-arrière de son expédition. (L'île sera envahie par les Anglais en 1800 ; ils la conserveront jusqu'en 1964.)

Pour appliquer les principes de la Déclaration des droits de l'Homme et pour se rendre populaire dans les pays musulmans, Bonaparte fait mettre en liberté 2 000 captifs barbaresques trouvés à Malte.

19 juin : Après avoir organisé Malte comme un département français, et y avoir laissé une garnison et le commissaire Regnault de Saint-Jean d'Angély, ancien député à la Constituante, Bonaparte et sa flotte quittent l'archipel pour l'Égypte.

24 juin : Le nationaliste grec Rhigas est mis à mort par les Ottomans à Belgrade.

28 juin : L'escadre anglaise de Nelson arrive devant Alexandrie, n'y trouve pas les Français et fait demi-tour vers l'Ouest. Le lendemain elle croisera la flotte de Bonaparte, mais sans la voir.

1ᵉʳ juillet : La flotte française arrive devant Alexandrie. Les troupes s'emparent de la ville le 2. Les bâtiments de transport vont se mettre à l'abri dans l'un des bras du Nil, mais l'escadre jette l'ancre dans la rade mal protégée d'Aboukir.

7 juillet : L'armée française commence sa marche vers Le Caire. Elle bousculera plusieurs fois la cavalerie des Mamelouks, principale force égyptienne.

21 juillet : Bataille des Pyramides où les Mamelouks sont vaincus. Bonaparte lance à son armée : « Soldats, du haut de ces pyramides, quarante siècles vous contemplent ! »

22 juillet : L'armée française entre au Caire. Bonaparte proclame : « Ne craignez rien pour la religion du Prophète que j'aime ! » A son frère Joseph, il confie : « La gloire est fade. A 29 ans j'ai tout épuisé ! »

1er août : Nelson attaque l'escadre française dans la rade d'Aboukir. L'amiral Brueys se croyait protégé mais de nombreux matelots français étaient à terre, en permission. Surtout, Nelson fit passer une partie de son escadre entre la côte et les vaisseaux français, tandis que l'autre partie attaquait depuis la haute mer. L'escadre fut presque entièrement détruite et Brueys lui-même tué. Seuls quatre bâtiments purent s'échapper et gagner Corfou. Les Français avaient perdu 11 vaisseaux de ligne, dont 6 coulés et 5 capturés. L'armée française était prisonnière en Égypte, la flotte britannique maîtresse de la Méditerranée.

Cette situation n'empêche pas Bonaparte, au Caire, durant le même mois d'août, de créer l'Institut d'Égypte (il existe toujours en 1997) et d'écrire à un dignitaire mahométan : « Les principes de l'Alcoran (le Coran) sont les seuls vrais et peuvent seuls faire le bonheur des hommes. »

2 septembre : Excités par les Anglais, les Maltais se soulèvent contre l'occupation française, bloquant dans La Valette les troupes laissées par Bonaparte.

9 septembre : Le sultan-calife de Constantinople déclare la guerre à la France.

7 octobre : Desaix remporte la bataille de Sédiman sur les Mamelouks.

21 – 22 octobre : Le Caire se soulève contre les Français. Répression expéditive.

Décembre : Première liaison extra-conjugale connue de Bonaparte, avec Pauline Fourès. A Suez, il projette de rétablir l'ancien canal pharaonique jusqu'au Nil.

1799

Février : Bonaparte quitte l'Égypte pour la Palestine afin d'y arrêter les Turcs et entre à Gaza.

7 mars : Prise de Jaffa.

28 mars – 10 mai : Huit échecs français devant Saint-Jean-d'Acre.

Avril : Victoire du Mont-Thabor sur les Turcs.

4 mai : Tippo-Sahib, chef musulman indien et sultan du Mysore, ami des Français est battu et tué à Séringapatam, lors d'une bataille menée du côté anglais par Wellesley, frère de Wellington, le futur vainqueur de Waterloo. Bonaparte avait pensé former avec Tippo un axe antibritannique Paris-Le Caire-Mysore.

17 mai : Bonaparte repart pour l'Égypte.

Juillet : Un Français découvre à Rosette (delta du Nil) l'inscription trilingue qui permettra à Champollion de déchiffrer les hiéroglyphes. Bonaparte détruit l'armée ottomane à Aboukir. Kléber : « Général, vous êtes grand comme le monde ! »

24 août : Bonaparte quitte secrètement l'Égypte sur une frégate avec ses fidèles (Berthier, Lannes, Murat, Monge, Berthollet, etc), laissant le commandement au général Kléber. En route, des vents contraires l'obligent à passer une semaine en Corse qu'il ne reverra jamais plus de sa vie.

9 octobre : Bonaparte débarque à Saint-Raphaël. Quelques jours après, il paraît devant le Directoire en civil, avec un sabre islamique. Son frère aîné, Lucien Bonaparte, est élu président des Cinq-Cents.

Début novembre : Bonaparte est définitivement décidé à prendre le pouvoir sans la gauche, discréditée. Fouché le soutient.

9 novembre (Dix-Huit Brumaire) : Bonaparte est nommé commandant des troupes de Paris. Les principaux dirigeants du Directoire se débandent ou sont neutralisés.

10 novembre : A Saint-Cloud, Bonaparte est mal reçu par les Cinq-Cents. Lucien suspend la séance au moment où son frère va être mis hors-la-loi. Deux de leurs beaux-frères, Murat et Leclerc, prennent la salle d'assaut. Trois consuls sont élus, dont Bonaparte, qui se loge au Luxembourg. « Ni bonnet rouge ni talons rouges ! » (mot-programme de Bonaparte).

1800

24 janvier : Kléber signe avec les Anglais à El-Arish, au Sinaï, une convention d'évacuation des Français d'Égypte, qui ne sera pas appliquée.

20 mars : Avec 15 000 hommes Kléber bat 65 000 Turcs à Héliopolis, près du Caire.

Avril : Kléber reprend Le Caire.

14 juin : Un musulman alépin assassine Kléber au Caire. Le général baron de Menou, récemment converti à l'islam par mariage, sous le nom d'Abdallah, lui succède. Il ne sera pas en mesure de poursuivre le rétablissement français en Égypte.

Mai – juin : Bonaparte rejoint l'armée de réserve en Valais, franchit le Grand Saint-Bernard et entre à Milan où il rétablit la République cisalpine. Desaix, rentré d'Égypte, reçoit aussitôt un haut commandement militaire mais, le 14 juin, il est tué à Marengo, victoire qui replace l'Italie septentrionale sous autorité française.

Décembre : Le tsar de Russie, Paul Ier, change de politique et s'allie avec la France contre l'Angleterre. Les nouveaux alliés envisagent une expédition antibritannique aux Indes. Le tsar sera assassiné en mars 1801.

1801

15 janvier : Bonaparte se souvient de son armée abandonnée au Caire : « La grande affaire est de soutenir l'Égypte ! » Mais les renforts ne sont pas envoyés à temps.

4 mars : Menou refuse l'idée de ses généraux de s'opposer au débarquement des Anglais à Aboukir, préférant surveiller la frontière avec la Syrie-Palestine.

8 – 13 mars : Les 1 500 hommes du général Friant ne peuvent empêcher 18 000 Anglais de débarquer à Aboukir.

21 mars : Bataille indécise de Canope, par laquelle Menou, enfin décidé, comptait rejeter les Anglais à la mer

(2 500 Français hors de combat). Bientôt 6 000 Turcs débarqueront à Aboukir.

27 juin : Le général Belliard capitule au Caire. Les Anglais lui accordent des conditions honorables de sortie.

2 septembre : Menou, assiégé dans Alexandrie, se rend. (Rentré en Europe, Napoléon en fera un gouverneur de Toscane puis de Venise.) L'expédition française en Égypte a vécu.

★

L'après-expédition

1804 : Méhémet-Ali, un Turc de Grèce formé par des Français et appuyé par des Albanais, prend le pouvoir en Égypte où sa dynastie régnera jusqu'en 1953. Il va, sur la lancée de l'expédition française, moderniser et fortifier son pays d'adoption, inventant avant la lettre la coopération technique franco-musulmane. Après la chute de Napoléon Ier, en 1815, de nombreux officiers impériaux viendront se mettre au service de l'Égypte nouvelle, contribuant largement à former son armée à l'européenne. Les Bourbons accueilleront à Paris les premières missions d'intellectuels égyptiens venus s'y initier à la pensée française.

1809-1822 : Publication échelonnée de l'ouvrage monumental *La Description de l'Égypte*, dû aux 150 savants et artistes emmenés en Égypte par Bonaparte. Cette œuvre reste valable en cette fin du XXe siècle pour la connaissance historique et scientifique du pays de Pharaon. Elle a notamment fait l'objet en 1988 d'une réédition abrégée, chez Hazan.

1822 : Jean-François Champollion (1790-1832) publie sa *Lettre à M. Dacier, relative à l'alphabet des hiéroglyphes phonétiques*, suivie en 1824 de son *Précis du système hiéroglyphique*, deux ouvrages livrant le secret de l'ancienne écriture et permettant la redécouverte de la civilisation pharaonique. Cette avancée capitale avait été permise en particulier grâce à la mise au jour en 1799 – par des soldats de l'expédition d'Égypte travaillant à des terrassements dans le delta du Nil, sous les ordres de l'officier du génie Bouchard –, de la Pierre de Rosette, ravie par les Anglais en 1801, et aujourd'hui au British Museum, à Londres. Champollion avait donc dû travailler sur un fac-similé tandis que les égyptologues britanniques, qui disposaient de l'original ne parvenaient pas à le décrypter.

1836 : Le roi Louis-Philippe Ier assiste à Paris, place de la Concorde à l'érection de l'obélisque de Ramsès II, venu de Louxor et offert quelques années auparavant à la France de Charles X par Méhémet-Ali, pacha d'Égypte, en reconnaissance du concours apporté par les Français à la renaissance de l'Égypte, déclenchée par l'expédition de Bonaparte.

Index des noms de personnes

Table des matières

Bonaparte en Égypte

Napoléon en Égypte

61250 Lonrai

Reproduit et achevé d'imprimer en septembre 1998
N° d'édition 98140 / N° d'impression 981730
Dépôt légal octobre 1998
Imprimé en France

ISBN 2-73821-146-1
33-6146-6